ABBY H., ou
LA

Après la pluie, le beau temps

ABBY H, ou LA VIE EN MAUVE

Après la pluie, le beau temps

ANNE MAZER

Texte français de Marie-Andrée Clermont

Éditions
■SCHOLASTIC

Illustrations de la couverture et de l'intérieur
Monica Gesue

Conception graphique
Dawn Adelman

Catalogage avant publication
de la Bibliothèque nationale du Canada

Mazer, Anne
Après la pluie, le beau temps / Anne Mazer; illustrations de
Monica Gesue; texte français de Marie-Andrée Clermont.

(Abby H. ou la vie en mauve)
Traduction de: Every cloud has a silver lining.
ISBN 0-439-97006-7

I. Gesue, Monica II. Clermont, Marie-Andrée III. Titre.
IV. Collection: Mazer, Anne Abby H. ou la vie en mauve.

PZ23.M4499Ap 2003   813'.54   C2003-903321-X

Édition publiée par les Éditions Scholastic,
175 Hillmount Road, Markham (Ontario) L6C 1Z7.

5 4 3 2   Imprimé au Canada   05 06 07 08

Pour Abby — bien sûr!

ABBY H. OU LA VIE EN MAUVE

Après la pluie, le beau temps

Comment peut-il y avoir AUTANT de différences entre une personne et sa famille? Voici les raisons que j'ai trouvées :

1. Ma famille est d'origine extraterrestre; j'en suis la seule personne normale.

2. Ma famille est tout à fait normale; c'est moi qui suis d'origine extraterrestre.

3. Un échange a eu lieu à ma naissance. Une famille ennuyeuse et ordinaire (dont tous les membres ont la tignasse frisée et en broussaille) se demande comment elle a pu mettre au monde une fille aussi brillante, populaire et bonne dans les sports.

4. C'est un secret bien gardé dans la famille : j'ai été adoptée.

5. Non mais, qu'est-ce que maman a bien pu manger pendant qu'elle était enceinte de moi?

Chapitre 1

Donc, le fait que l'école commence aujourd'hui voudrait dire que la moitié de l'année s'est déjà écoulée? Ouais! Hourra!

En ouvrant les yeux, Abby aperçoit les calendriers accrochés à ses murs : des gros, des petits, certains illustrés de photos glacées, d'autres de dessins en noir et blanc, d'autres encore montrant des paysages d'États américains ou de divers pays. Il y en a aussi pour souligner chaque congé férié, chaque activité de loisir ou chaque sujet intéressant.

Ces calendriers l'accueillent tous les matins au réveil et ce sont les dernières images qu'elle voit le soir avant de fermer l'œil. Le plus beau, dans tout ça, c'est qu'Abby ne se lasse jamais de sa chambre : les calendriers se modifiant environ aux trente jours, sa chambre est comme un animal qui mue tous les mois pour se métamorphoser en une créature différente.

« Il faudrait bien que je trouve le Calendrier de la Coupe du Monde de soccer », songe Abby, encore ensommeillée. Elle se retourne dans son lit, allume sa lampe et prend, sur sa table de chevet, le cahier qui lui sert de journal.

Au programme, aujourd'hui : faire douze redressements assis avant le déjeuner. Courir vingt fois autour du pâté de maisons (sans m'arrêter pour parler aux voisins sympathiques). Manger santé : pas de beignes! Et pas de tablettes de chocolat non plus! Sourire gentiment quand super-grande-sœur Éva se vantera d'avoir marqué pour son équipe. Hocher la tête avec entendement lorsque super-grande-sœur Isabelle se mettra à parler de la Guerre des Roses. (Question : pourquoi pas la Guerre des Pissenlits? Ou des Géraniums?) Ne pas porter attention aux chicanes des jumelles. Être gentille avec frérot Alex. Accepter de jouer aux échecs avec lui s'il me le propose. Ce n'est pas de sa faute s'il gagne à tout coup. (Être bonne perdante.)

Abby repousse ses couvertures et s'étire. Sautant à bas du lit, elle ouvre un tiroir de sa commode. Elle portera aujourd'hui un de ses ensembles préférés : un pantalon cargo et un débardeur rayé. Elle étend les vêtements sur son lit, puis prend un écrin blanc qu'elle a caché sous une pile de t-shirts. À l'intérieur, se trouve une paire d'anneaux en or.

Le souhait du jour : me faire percer les oreilles. Comment convaincre maman de me le permettre?

C'est le jour de la rentrée en cinquième année, ou encore, selon l'expression de sa meilleure amie Jessica, « la première journée de la dernière année du cours élémentaire ». Leur enseignante sera Mme Doris, qui a été mutée d'une autre école de la commission scolaire.

Abby reprend son journal.

Négatif : je ne sais pas qui est Mme Doris.

Positif : elle ne sait pas qui je suis et ne connaît pas ma famille.

Délaissant son cahier, Abby retourne à sa commode. Sa brosse à cheveux traîne sur le dessus, au milieu d'un amas de coquillages, de roches et d'animaux en peluche miniatures. Abby passe la brosse dans sa tignasse en bataille, puis se regarde dans la glace en soupirant.

Elle a de petits yeux bleu gris et une chevelure rousse frisottée qu'un millier de pinces ne réussiront jamais à dompter. Quant à son nez – eh bien, il n'y a rien à en dire sinon qu'il est planté au milieu de son visage.

« J'ai un visage tout à fait ordinaire et des cheveux extraordinaires », songe Abby. Elle préférerait que ce soit le contraire.

Elle élève les anneaux en or à la hauteur de ses oreilles et regrette, pour la millième fois, de ne pas pouvoir les porter pour aller à l'école. Surtout aujourd'hui. Non seulement est-ce le début de l'année scolaire, mais c'est aussi l'année où Abby a décidé de se transformer en étoile du soccer.

Abby arrache une page de son cube de citations célèbres.

Jour après jour, de toutes les façons, je m'améliore encore et encore.

Abby garde les yeux rivés sur le petit calendrier. « Pourquoi pas? se demande-t-elle. Pourquoi pas moi? Je deviendrai une joueuse de soccer de haut niveau, comme Mia et Michelle. Foi d'Abby, je le ferai. »

Jusqu'ici, Abby n'a guère manifesté de talent. Mais tout cela changera dorénavant. Les essais pour jouer dans la ligue municipale de soccer auront lieu à la fin de la semaine.

Elle se plante devant son miroir.

« Je dois avoir des pensées positives! se dit-elle. Travailler fort! M'entraîner! Devenir une étoile du soccer! Oui, c'est possible. »

Elle saisit son cahier et l'enfouit dans son sac à dos;
puis elle descend au rez-de-chaussée pour prendre son
déjeuner.

— Où est passé tout le monde? demande-t-elle à son
frère.

Alex, un élève de deuxième année, est assis tout seul
à la table de cuisine. Ses cheveux pointent au plafond
et il a mis son t-shirt à l'envers. Devant lui trône un bol
de céréales multicolores et sucrées, qu'il mange en lisant
les bandes dessinées du journal. Abby le met en garde :

— À force d'avaler ces céréales, tu vas te transformer
en personnage de bédé. Tu vas te retrouver avec la peau
verte et les cheveux roses.

— Hein? fait Alex, qui enfourne une grosse cuillerée
dans sa bouche. D'accord.

Abby prend une boîte de granola dans l'armoire et
en verse le contenu dans son bol bleu préféré.

— Tiens, Alex, dit-elle, voilà quelque chose de bon
pour la santé. Si tu veux devenir une superstar, comme
Éva et Isabelle, tu dois manger des aliments sains et
nutritifs.

Son petit frère n'a que faire de ses conseils. Il n'a pas
besoin de devenir une superstar : il en est déjà une. Sans
doute tous ces colorants roses et verts ont-ils opéré une
mutation dans son cerveau, ce qui explique pourquoi
il est génial.

— Où est passé tout le monde? répète Abby en ouvrant le frigo.

— Éva est allée nager, Isabelle est en haut à lire son manuel d'histoire, et papa travaille dans son bureau depuis 6 h, récite Alex d'une voix monotone.

Il n'est que 8 h et déjà, son père et ses sœurs travaillent ferme. « Non, mais qu'est-ce qui ne tourne pas rond dans ma famille? se demande Abby. Ou alors, est-ce moi qui ai un problème? »

— Bonjour, Alex et Abby, salue leur mère en faisant irruption dans la pièce.

Élégante dans un tailleur marine et un chemisier en soie pâle rehaussé d'un collier en or, elle a noué ses cheveux en chignon. Elle effleure la tête d'Alex d'un baiser et serre rapidement Abby dans ses bras.

— Dis, maman, quel conseil de sagesse te donne le Calendrier de la femme au travail aujourd'hui? demande Abby.

— Pas eu le temps de regarder ce matin, ma chouette, répond sa mère en posant son porte-documents sur une chaise. J'avais un cas à réviser. Je rentrerai assez tard, ce soir, mais papa sera là.

Elle attrape un bagel, le tartine de beurre et l'enveloppe dans une serviette de papier.

— Je suis en retard! Il faut que je file! dit-elle en reprenant son porte-documents. Souhaitez-moi bonne chance. Je passe la journée au tribunal!

— Bonne chance! Bonne chance! Bonne chance! scandent en chœur Abby et Alex.

C'est la mélopée rituelle qu'ils chantent chaque fois que leur mère doit se présenter devant le tribunal.

Après un dernier sourire, celle-ci passe la porte.

Alex baisse aussitôt la tête et replonge dans ses bandes dessinées.

Début de journée typique dans la maisonnée des Hayes : tous sont debout à s'activer dès que l'aube se pointe, à l'exception d'Abby Hayes, qui s'attarde entre le rêve et l'éveil.

— Alex et Abby! lance leur père qui arrive à son tour, en pyjama et en pantoufles. Salut, la compagnie!

— Hé, papa! Tu n'es pas habillé! remarque Abby.

Son père bâille et répond en grattant son menton non rasé :

— C'est un des avantages de travailler à la maison : pouvoir sortir du lit, attraper un café et m'installer à l'ordinateur cinq minutes plus tard. Et, bien sûr, passer plus de temps avec mes enfants, ajoute-t-il. Il vous reste encore dix minutes, vous deux, après quoi il faudra partir pour l'école!

Il tapote les cheveux d'Alex pour les aplatir.

— Holà, mon gars! Ta toison a envie de s'échapper de ta tête, ce matin. Et il faudrait que tu enfiles ton t-shirt comme il faut. Tu as dû t'habiller dans ton sommeil!

Il embrasse Abby.

— Alors, trésor, tu écris dans ton journal?

Parmi les membres de sa famille, c'est de son père qu'Abby se sent le plus proche. Elle se demande si elle devrait lui confier ses rêves à propos du soccer. Peut-être bien. Ou peut-être pas. Après tout, lui aussi fait partie de ces Hayes qui sont bourrés de talents. Il a lancé sa propre entreprise d'informatique, et il conçoit pour ses clients des pages Web qu'il installe ensuite sur Internet. Il vaque aussi à un grand nombre de tâches ménagères. En outre, il est l'entraîneur de l'équipe de crosse dont Éva fait partie et il aide Isabelle à s'exercer pour ses débats oratoires.

Sa mère est avocate, a quatre enfants, court le marathon et siège au conseil de plusieurs organismes communautaires.

Son frère Alex est un génie en informatique et en maths.

Quant à ses sœurs jumelles, Éva et Isabelle... « Oh! et puis, j'aime mieux ne pas y penser! » se dit Abby.

La simple évocation de ce qu'accomplissent les autres membres de sa famille lui donne l'impression d'être petite et insignifiante. Elle espère pouvoir un jour prouver qu'elle aussi est digne de s'appeler Hayes.

Chapitre 2

```
Mardi     Encore

    La gloire vient à
    qui ose commencer.

        Eugene S. Ware

Calendrier des routes panoramiques
```

Ou à qui est forcé de commencer.

Ah! si on pouvait seulement sauter la cinquième année et monter directement à l'école intermédiaire!

Abby examine sa liste de fournitures scolaires.

Fournitures scolaires pour la classe de cinquième année de Mme Doris :

Crayons Comme c'est ennuyant!

Stylos, bleus et rouges Et pourquoi pas verts et rouges? Ou mauves et orange? J'ai apporté mon stylo mauve à l'école, de toute façon. La rébellion en mauve!

Crayons de cire Ah, non! J'en ai assez du coloriage! Depuis l'âge de deux ans que je colorie. Je vous en prie, qu'il n'y ait plus de coloriage avec des crayons de cire! De grâââce!!!!

Une boîte de mouchoirs de papier Est-ce qu'on va pleurer?

Liste de fournitures scolaires dont j'aurais envie :

Stylos arc-en-ciel

Souvenirs de vacances (coquillages, calendriers, pierres...)

Papier ligné de couleurs fluos

Livres préférés

Disques compacts et stéréo personnelle

Boucles d'oreilles pour toutes les filles

— Si nous faisions un tour de classe pour nous présenter? propose l'enseignante. Je vais commencer. Je m'appelle Doris Kantor, et je suis votre titulaire de cinquième année. L'an dernier, j'enseignais à l'école élémentaire Swiss Hill. J'ai deux enfants. Je consacre mes temps libres à observer les étoiles, à faire du canot et à parler espagnol.

Abby est dans la rangée voisine de Jessica. Son journal est ouvert sur ses genoux.

Mme Doris a les cheveux châtain clair et le nez pointu. Je ne peux pas encore prédire si elle sera gentille ou pas, mais jusqu'ici, elle n'est pas si mal.

— Il se peut que ma voix fasse défaut plus tard dans la journée, enchaîne Mme Doris. Cela m'arrive chaque année pendant la semaine de la rentrée. Je dois me réhabituer à parler en classe.

Elle se racle la gorge.

Mme Doris porte une « robe de prof ». Un de ces longs trucs flottants. Ma mère paraît plus élégante dans ses tailleurs. En plus, elle n'a jamais l'air fatigué, elle ne rougit jamais et elle ne se racle jamais la gorge. Peut-être est-ce plus facile de passer ses journées avec des criminels qu'avec des enfants. C'est ce que maman a déclaré après la journée portes ouvertes à l'école, l'année dernière. Qu'est-ce qu'elle voulait dire? Je lui ai fait remarquer que certains de ces enfants deviendraient probablement des criminels en vieillissant. Ha, ha! Je me demande bien lesquels?

Encore une fois, Mme Doris se racle la gorge. « Pourvu qu'elle ne fasse pas ça toute l'année, se dit Abby. Déjà que ce sera difficile à endurer pendant une semaine! »

— Bon, à qui le tour, maintenant? Vous allez vous nommer et nous parler un peu de vous.

Brianna se lève. Elle a les ongles d'orteils orange. Elle porte un pantalon à pattes d'éléphant et un t-shirt en velours.

— Je m'appelle Brianna, dit-elle en faisant onduler sa chevelure à la manière d'une actrice de téléroman. J'adore l'équitation, le soccer et la danse.

Taux de fanfaronnades de Brianna! Elle se vante une phrase sur deux, pour le moment. (Son taux habituel est encore plus élevé : vingt fois par phrase.)

— Ouais, Brianna! s'écrie Béthanie, qui se lève à son tour. Je suis Béthanie, la meilleure amie de Brianna.

Et elle se rassoit.

— Peux-tu nous en dire davantage sur toi-même, Béthanie? insiste Mme Doris.

— J'aime patiner sur la glace et j'ai un hamster, ajoute Béthanie.

Elle joue avc ses boucles d'oreilles en parlant : ce sont de minuscules patins d'argent qui oscillent comme des breloques.

Béthanie est la meneuse de claque personnelle de Brianna. Elle s'habille comme Brianna, elle ressemble à Brianna (sauf pour ses cheveux, qui ne sont pas bruns, mais blonds) et elle agit comme Brianna. Qui donc prétend que la science n'a pas encore réussi à cloner un être humain? Celui-là ne connaît pas Brianna et Béthanie.

Zach et Tyler se lèvent en même temps.

— Nous aimons les jeux électroniques et les ordinateurs, récitent-ils à l'unisson.

— Ils sont mignons! glisse Brianna à Béthanie, en chuchotant assez fort.

— Pas de Game Boy à l'école, avertit Mme Doris en pointant du doigt le sac à dos de Zach.

Pas de Game Boy à l'école???!!! J'en connais qui vont trouver le temps long! Pauvres Z et T! L'an dernier, ils apportaient leurs jeux tous les jours, pour s'amuser à la récré et après la classe. S'ils doivent les laisser chez eux, ils vont ratatiner et tomber malades.

P.-S. : Ai-je bien entendu Brianna dire que Z et T sont mignons? Ouachel!! Que peut-il bien y avoir de mignon chez ces gars-là? Ils sont bruyants, idiots et obsédés par la technologie!

À tour de rôle, les autres élèves se présentent. Meghan et Rachel sont allées dans un camp de vacances. Jon a joué au ballon-panier et visité la Norvège avec sa famille.

Il y a une nouvelle dans la classe. Elle s'appelle

Nathalie. Une petite brunette plutôt mince, qui porte ses cheveux courts. Ça ne fait que quelques semaines que sa famille a déménagé en ville.

— J'aime lire, dit-elle d'une voix tranquille. Mes livres préférés sont ceux de la série Harry Potter. Je les ai lus neuf fois chacun. J'ai aussi un jeu de chimie. J'aime faire des expériences.

En se rassoyant, elle croise l'œil d'Abby et lui fait un sourire fugitif, puis elle détourne le regard.

La nouvelle a l'air gentille. Pas bruyante et vantarde comme Brianna et Béthanie. Peut-être qu'elle voudrait manger avec Jessica et moi. Je me demande si elle a un bon dessert à échanger. Note à moi-même : je devrais en finir avec ma fixation sur les desserts! Ce n'est pas comme ça que je deviendrai une étoile de soccer!

Arrive le tour de Jessica. En ce jour de la rentrée, elle porte un débardeur noir et une salopette, et elle a attaché ses cheveux en queue de cheval. Elle a épinglé plein de signes de paix et de petits cœurs sur les bretelles de sa salopette.

Sortant la photo d'un vaisseau spatial, elle annonce :

— Voilà mon rêve pour quand je serai grande : j'ai l'intention de devenir astronaute. Je suis asthmatique, j'adore la confiture d'abricot et Abby est ma meilleure amie.

— Très bien, Jessica, dit Mme Doris. À qui le tour, maintenant?

Abby bondit sur ses pieds et dit :

— Je suis Abby! commence-t-elle.

Mais voilà que, tout à coup, elle ne sait pas quoi ajouter. Doit-elle parler de sa collection de calendriers? Non, c'est trop bizarre. Raconter qu'elle veut devenir une joueuse étoile de soccer? Non, pas encore. Qu'elle a un super-frère et deux super-sœurs? Non. Moins elle en dit à leur sujet, mieux c'est. « Qui suis-je donc, de toute façon? » se demande-t-elle.

— Hum, ma meilleure amie est, hum, Jessica... Hum, cette année, mes parents me permettent, hum, de rouler à vélo jusqu'au magasin, toute seule... Et j'adore écrire! conclut-elle, prise d'une inspiration soudaine.

Mme Doris se racle la gorge.

— C'est bien, merci, Abby. J'ai très hâte de mieux vous connaître, tous et chacun. Maintenant, nous allons passer en revue les règles à observer dans la classe.

Elle inscrit au tableau noir :

Je lève la main pour parler.

Je respecte les autres.

Je ne donne pas de coups.

Je soigne mon langage. Je n'utilise pas de gros mots.

Je remets mes devoirs tous les matins. Si je les ai oubliés à la maison, je les refais pendant la récréation.

Abby et Jessica échangent un regard. Ce sont les mêmes règles depuis la maternelle! Sauf la dernière, sur les devoirs. Abby aimerait en avoir de nouvelles. Elle reprend son journal.

<u>Les règles géniales d'Abby à observer en classe</u>

Parler en se tenant sur la tête.

S'exprimer en charabia une fois par semaine (obligatoire pour tous les élèves).

Ne pas mettre ses chaussures sens devant derrière.

Interdiction de porter du rose.

Boucles d'oreilles exigées. Ou les parents vont devoir s'expliquer au bureau du directeur!

Elle glisse son cahier vers Jessica. Sa meilleure amie y dessine une silhouette de Brianna, tête en bas, une bulle s'échappant de sa bouche. « Charablouia. »

Les deux filles se mettent à rire.

Mme Doris tape dans ses mains.

— Écoutez, tout le monde. Abby? Jessica? fait-elle en regardant son plan de classe. Calmez-vous, maintenant. La cinquième est une année importante. Elle vous prépare à l'école intermédiaire, où vous aurez beaucoup plus de responsabilités.

Abby et Jessica se regardent en soupirant.

— Rien de nouveau sous le soleil, marmonne Abby.

Rendue en cinquième année, elle connaît trop bien toute la petite routine. Elle fréquente cette école depuis la maternelle, après tout.

Comme elle aimerait avoir onze ans! Comme elle aimerait être déjà en sixième année! Comme elle aimerait fréquenter l'école intermédiaire et changer de classe toutes les heures! Et avoir les oreilles percées, comme un grand nombre de filles de cinquième! Et être une étoile de soccer!

— J'ai quelque chose de très intéressant à vous annoncer, reprend Mme Doris.

Abby sort de sa rêverie. Quelque chose d'intéressant en cinquième année? Elle n'y croit pas vraiment.

— Cette année, et uniquement dans cette classe-ci, se tiendra, chaque semaine, un atelier spécial. Une amie à moi va venir vous donner... (raclement de gorge) ... des sessions de création littéraire.

Du coup, Abby se redresse sur sa chaise. Jamais auparavant elle n'a suivi de cours de création littéraire.

— Cette amie, qui s'appelle Élizabeth Bunder, viendra tous les jeudis matin.

Brianna lève la main.

— Un de mes poèmes a été publié, l'année dernière, dit-elle en lorgnant vers Zach et Tyler, pour voir s'ils écoutent.

Abby donne un coup de coude à Jessica. Brianna, une

poète? Que peut-elle bien écrire? Des vers sur son cheval?

— Eh bien, bravo, Brianna. Peut-être pourras-tu l'apporter en classe? Quelle coïncidence! Mme Élizabeth écrit de la poésie, elle aussi, et elle a été publiée.

Mme Élizabeth écrit de la poésie qui est publiée! « Vivement jeudi! » songe Abby. Elle se demande ce qu'ils vont écrire. Des histoires? Des essais? Des miniromans? Mais ça n'a pas d'importance. De toute façon, elle se sent prête.

— La cinquième ne sera peut-être pas si mal, confie-t-elle à Jessica.

— Pourvu que Mme Élizabeth ne se racle pas la gorge aussi souvent que Mme Doris, répond Jessica en chuchotant.

Abby hausse les épaules. Ça lui est bien égal que Mme Élizabeth se racle la gorge cent fois par minute. La matière qu'elle préfère entre toutes est la rédaction, et voilà que, chaque semaine, on va leur donner un cours là-dessus.

Seulement deux jours, et ce sera jeudi!

Chapitre 3

Jeudi matin

Une rose est une rose
est une rose.

Gertrude Stein

Calendrier
Les fleurs au jour le jour

Les roses sont rouges
Les violettes sont bleues
Mes sœurs et mon frère sont des génies
J'aimerais en être un, moi aussi!

Abby Hayes, Poésies originales

Les roses sont rouges
Les violettes sont bleues
Éva est une athlète accomplie
Et j'en serai une aussi.

Un poème d'Abigail Hayes

Les roses sont rouges
Les violettes sont bleues
J'en ai ras-le-bol de cette poésie,
Et je parie que vous aussi.

Vers libres signés Abby H.

Qui donc est Mme Élizabeth? La foule avide qui va et vient sur le terrain de l'école en attendant la cloche n'a que cette préoccupation en tête et n'en finit pas de s'exciter! Voici quelques propos croqués sur le vif par notre reporter sur place :

— Quand tu viendras chez moi après l'école, dit Zach à Tyler, on essaiera le nouveau jeu.

— Il paraît que le graphisme est super! enchaîne Tyler.

La reporter se déplace, en quête d'une conversation plus stimulante.

Voici Brianna qui annonce très fort, à portée de voix de Z et de T :

— Les Virtuoses sont en spectacle au marché agricole, samedi. Je donne un numéro solo.

— Ouais, Brianna! s'exclame Béthanie.

Bon, tentons un dernier essai. Notre reporter surprend d'autres bribes de conversation. D'abord Nathalie :

— Mmmm, mmmm... Harry Potter... mmmm, mmmm.

Puis Jessica :

– Quand je serai devenue astronaute...

Non, mais qu'est-ce qui ne va pas avec les élèves de cinquième année d'aujourd'hui? Comment se fait-il qu'ils ne se meurent pas de curiosité à propos du cours de création littéraire? Que le nom de Mme Élizabeth ne soit pas sur toutes les lèvres? Et que tout le monde agisse normalement, comme si de rien n'était?

9 h 2 :	Seulement une heure et cinquante-huit minutes à attendre avant le cours de création littéraire.
9 h 4 :	Encore une heure et cinquante-six...
9 h 15 :	On doit faire des maths. Enfin, une distraction! Dieu merci!
9 h 37 :	J'ai terminé l'exercice de maths en un temps record.
9 h 44 :	Mme Doris me rend ma copie. Il faut que je recommence tous les problèmes. « Qu'est-ce qui te trotte dans la tête, Abby? » veut-elle savoir.
9 h 45 :	Je retravaille mes problèmes.
10 h 5 :	Toujours à refaire mes problèmes de maths.

10 h 14 :   On sort les cahiers d'épellation. Distraction!

10 h 30 :   Je termine l'exercice d'épellation en un temps record.

10 h 35 :   Mme Doris me rend mon cahier. J'ai fait des fautes à tous les mots.

10 h 42 :   Je recommence l'exercice.

10 h 57 :   MAIS OÙ EST-ELLE DONC?????????

10 h 58 :   Quelqu'un (ou plutôt quelqu'une) vient d'entrer dans la classe. Mais je ne pense pas que ce soit Mme Élizabeth. Elle est trop jeune. Et trop jolie. Elle porte un pantalon à pattes d'éléphant et un t-shirt soyeux bleu foncé. J'adore ses sandales à plates-formes noires. Et son collier en argent orné de pierres bleues est super. Je me demande qui elle est.

Mme Élizabeth aurait-elle une fille? Une fille qui étudie au collège et qui viendrait lui donner un coup de main?

La jeune femme dépose une pile de cahiers flambant neufs sur une table. Abby glisse son journal dans son pupitre tout en l'observant. Puis elle jette un coup d'œil à la porte pour voir si Mme Élizabeth va enfin arriver. Eh non! elle n'est toujours pas là.

La jeune femme tape dans ses mains pour demander l'attention.

— Bonjour, tout le monde!

Elle a définitivement l'air beaucoup trop jeune pour être Mme Élizabeth. En fait, elle ne paraît pas beaucoup plus vieille qu'Éva et Isabelle. « Pourvu que ce ne soit pas une étudiante de l'école secondaire qui connaît les étonnantes jumelles Hayes », rumine Abby. Elle trouve déjà assez pénible d'avoir des sœurs ultraperformantes en neuvième année, l'une qui récolte toujours des A tout en étant présidente de sa classe, et l'autre qui brille comme joueuse étoile dans tous les sports imaginables. Ceux qui les connaissent doivent-ils vraiment s'attendre à des succès semblables de la part d'Abby?

Où est Mme Élizabeth?

Jessica se penche vers Abby.

— J'aime son ensemble, chuchote-t-elle.

Même Brianna, la première de la classe à avoir porté du brillant à lèvres et peint ses ongles d'orteils, la regarde avec envie.

— Ce projet de création littéraire me stimule beaucoup,

dit la jeune femme. Nous allons écrire ensemble toutes sortes de choses merveilleuses.

— C'est donc elle? s'étonne Abby, qui n'en revient pas. Non, ça ne se peut pas!

— Elle a l'air gentille, dit Jessica. Qui qu'elle soit.

— Y en a-t-il, parmi vous, qui tiennent un journal intime? demande Mme Élizabeth.

Abby lève la main.

— Bravo! dit Mme Élizabeth en lui adressant un sourire. Y en a-t-il qui écrivent des poèmes ou des histoires?

La main de Brianna part comme une fusée.

— J'ai publié un poème dans notre bulletin de liaison familial, dit-elle.

Tyler lève la main à son tour.

— J'ai écrit l'histoire d'un enfant qui se perd dans un ordinateur, dit-il en rougissant. Zach m'a aidé.

— Merveilleux! se réjouit Mme Élizabeth. Je suis contente de voir que certains d'entre vous écrivent déjà par plaisir. Je veux que tout le monde trouve mon cours agréable.

Abby et Jessica échangent un regard. Le cours de Mme Élizabeth paraît déjà prometteur.

— Nous allons beaucoup écrire au cours de l'année. Nous rédigerons des histoires, des poèmes et des articles de journaux, en plus de tenir un journal quotidien.

Elle prend un cahier dans ses mains.

— J'en ai apporté pour chacun de vous. Nous allons commencer immédiatement.

Brianna murmure quelque chose à l'oreille de Béthanie. Tyler a l'air content.

— J'ai tout plein d'idées pour vous mettre en train, enchaîne Mme Élizabeth.

Prenant une craie, elle écrit au tableau noir :

Des résolutions pour l'année scolaire. Osez rêver! Que souhaitez-vous accomplir, cette année?

Un résumé de votre été. Vos meilleurs et vos pires souvenirs de vacances.

Parlez-moi de vous-même. Qui êtes-vous? À quoi ressemblez-vous? Qu'est-ce que vous aimez faire? Présentez-moi votre famille et vos amis.

Mme Élizabeth s'arrête.

— Ce ne sont que quelques idées de départ. Choisissez-en une et écrivez au moins trois paragraphes dans votre nouveau cahier. Je les passerai en revue régulièrement.

Elle parcourt les allées, distribuant les cahiers tout en échangeant quelques mots avec chaque élève.

— Abigail Hayes.

Mme Élizabeth se tient devant Abby et lui tend un cahier mauve.

Le nom d'Abby est écrit en lettres mauves sur un

carton laminé qu'elle a déposé sur son pupitre. Est-ce que Mme Élizabeth aurait deviné, juste à le regarder, qu'Abby adore le mauve?

— Préfères-tu te faire appeler Abigail ou Abby?

— Tout le monde m'appelle Abby, sauf ma grand-mère.

— Les grands-mères obéissent à leurs propres règles, dit l'enseignante. La mienne avait l'habitude de m'appeler Violette, du nom d'une de ses amies.

— Vous paraissez beaucoup trop jeune pour être une enseignante! déclare Abby à brûle-pourpoint. Je parie qu'on a exigé de voir votre carte d'identité quand vous êtes arrivée à l'école.

— La secrétaire avait l'air de vouloir me la demander, en effet! répond Mme Élizabeth en riant.

Pendant qu'elle se déplace vers l'élève suivant, Abby sort son vieux journal. Il n'est pas mauve, comme celui que Mme Élizabeth vient de lui donner; mais noir et blanc, et rempli presque jusqu'à la dernière page.

Elle lève la main.

— Madame Élizabeth, est-ce que je peux finir mon ancien journal avant de commencer le nouveau? Et écrire à l'encre mauve?

— Oui à tes deux questions, répond Mme Élizabeth.

— Je vais parler des jeux électroniques, annonce Tyler.

Brianna a écrit en grosses lettres roses : « Brianna, danseuse virtuose et future capitaine de l'équipe de soccer. »

Elle dessine un petit cœur sur le « i » de son nom.

Abby ouvre son vieux journal noir et blanc.

La famille de Mme Élizabeth vit près de la famille de Mme Doris. Mme Élizabeth a souvent gardé le petit garçon et la petite fille de Mme Doris. Puis elle est partie faire ses études collégiales et elle a choisi de devenir enseignante et écrivaine. Elle a publié des poèmes et des nouvelles, et animé des ateliers de création littéraire. Nous sommes la première classe élémentaire à laquelle elle enseigne!

Mme Élizabeth ne s'est pas raclé la gorge une seule fois!

Elle rit de nos blagues.

Elle fait des blagues.

Nous pouvons utiliser de l'encre de n'importe quelle couleur. Elle a seulement précisé : « Pas d'encre invisible ». (Ha, ha! Je me demande bien qui aurait pu essayer ça. Zach et Tyler, sans doute.)

Vive la création littéraire et vive Mme Élizabeth!!

Abby ouvre son nouveau cahier et écrit au haut de la page :

Nouveau journal mauve amélioré.

Autour d'elle, les plumes grattent le papier et les pages se tournent en bruissant, mais, au bout d'un moment, elle est si absorbée par son journal qu'elle n'entend plus rien.

Chapitre 4

Vendredi

Rêver un impossible rêve...

**Calendrier intitulé
Chaque moment a son importance**

Cette chanson est tirée d'une comédie musicale dont ma mère nous rebat continuellement les oreilles. Elle n'en finit pas de fredonner cet air stupide. C'en est agaçant. Je n'arrive pas à m'enlever les mots de la tête.

Le soccer : rêve possible ou impossible? Je dois me transformer en quelqu'un, autrement je ne serai personne.

Mes objectifs pour le soccer

Me transformer en grande joueuse. Le soccer est l'un des rares sports qu'Éva (super-grande-sœur, super-athlète et jumelle de super-élève Isabelle) ne pratique pas.

En combien de temps vais-je y arriver? Est-ce que six semaines suffiront?

Je dois m'entraîner.

Manger des aliments santé. (Adieu, croustilles!)

Lire le cahier des sports de « La Tribune ».

Adopter les trucs et astuces des bons joueurs.

COMMENCER DÈS AUJOURD'HUI ET NE PLUS ATTENDRE!

(Est-ce que ça veut dire que je devrai sacrifier les carrés au chocolat qu'on a faits, Alex et moi? Soupir! J'en ai mis deux dans ma boîte à lunch. Peut-être que j'en offrirai un à Jessica, et l'autre, à la nouvelle, Nathalie — histoire de lui souhaiter la bienvenue.)

Autres objectifs pour l'année

Expédier mes devoirs de maths au fur et à mesure, pour éviter qu'Alex, mon génial frérot de sept ans, ne les trouve et n'en vienne à bout en quelques secondes.

(Il n'essaie pas de se montrer bon; c'est seulement qu'il en a assez des maths de deuxième! Dommage qu'il ne puisse pas encore faire les travaux de maths d'Éva et d'Isabelle. Ça leur donnerait une bonne leçon. Ha, ha!)

Me faire percer les oreilles.

Ne plus jamais manger de haricots de Lima.

Quelque chose sur moi-même

J'adore les calendriers. (J'en ai soixante-treize.)
Voici mes préférés :

- un calendrier intitulé « Le monde d'Abby »,
que mon père m'a fabriqué à l'ordinateur. On y voit
des photos de moi en tournesol, de moi dans une
poussette, et de moi en train de verser un seau
d'eau sur Jessica quand j'avais cinq ans.

- le Calendrier des patates

- le Calendrier des amateurs de calendriers, que
j'ai monté à l'aide de l'appareil photo numérique de
mon père. J'ai photographié mes murs changeant au fil
des mois, et j'en ai fait un calendrier. Ha, ha! Je
parie que personne d'autre n'a eu cette idée-là!

Je pense que je vais adorer le cours de création
littéraire! Je suis contente que Mme Élizabeth s'appelle
Élizabeth, et pas Violette. Je suis contente de
m'appeler Abby, et pas Abigail. Abigail, ça fait
tellement vieux jeu! Ça évoque une femme du temps de
la Révolution américaine, qui cousait à longueur de
jour, assise dans son salon. Je déteste la couture!
Une chance que je vis aujourd'hui et pas dans ce
temps-là!

Et une chance que Mme Élizabeth n'est pas une adolescente! Elle a obtenu son diplôme d'études collégiales, donc elle doit avoir au moins vingt-deux ans. Elle ne connaît pas mes super-grandes-sœurs non plus. Je suis le premier membre de la famille Hayes qu'elle rencontre. Elle dit qu'elle va peut-être me surnommer « Purple Hayes » parce que j'aime tellement le mauve. « Purple Haze », c'est le titre d'une chanson populaire des années 60. Mme Doris dit qu'elle s'en souvient.

L'été en bref

La famille Hayes a passé ses vacances au Vermont. Sur sa bicyclette, super-grande-sœur Éva a escaladé et dévalé des montagnes avec des camarades. Super-grande-sœur Isabelle nous a cassé les oreilles avec la Guerre de Cent ans (la Misère de Cent ans, pour sa jeune sœur de cinquième année). Super-frérot Alex a conçu des robots informatisés sans son ordinateur. En plus de lire des dossiers juridiques, maman a visité des boutiques d'antiquités et des villes historiques. Papa conduisait la voiture, faisait des farces plates et nouait des contacts d'affaires au fil de ses rencontres.

Abby H. a acheté le Calendrier des clôtures du Vermont, quelques bonbons à l'érable, ainsi qu'une salière et une poivrière en forme de vaches.

Vendredi soir.

Après l'école, aujourd'hui, ont eu lieu les essais pour la ligue municipale de soccer. M. Steve, notre prof d'éduc, sera l'entraîneur de notre équipe. « Je n'exclurai personne, promet-il. Toute personne peut se joindre à l'équipe, pourvu qu'elle ait envie de jouer et qu'elle veuille améliorer sa technique. »

M. Steve est gentil. Il ne se fâche jamais contre les élèves qui ne sont pas doués pour le sport. Il essaie de les encourager en soulignant leurs points forts.

Il m'a tapoté l'épaule quand j'ai passé le ballon à la mauvaise personne.

« Continue, Abby, ça s'en vient! » a-t-il dit quand j'ai botté le ballon en dehors du terrain.

« Bel effort! » a-t-il crié quand j'ai frappé dans le beurre.

Je n'ai apparemment pas un grand talent naturel en soccer. Je devrai travailler fort pour devenir une joueuse étoile.

Brianna a la désagréable manie de pousser un hurlement strident quand quelqu'un manque le ballon ou le passe à la mauvaise équipe.

Nathalie (la nouvelle) a la même opinion que moi

au sujet de Brianna.

Rachel et Meghan sont d'excellentes joueuses; de même que Jessica, en dépit du fait qu'elle souffre d'asthme. Jessica dit qu'elle est bien décidée à jouer dans la ligue municipale. Moi aussi. C'est ma seule chance d'atteindre le statut d'étoile.

Ma meilleure amie, Jessica, m'a offert de m'aider à développer mes habiletés en soccer cette fin de semaine. Je veux m'améliorer avant le début des entraînements, à la fin de la semaine prochaine.

En utilisant la puissance de mon esprit, je vais me transformer en grande athlète.

(Remarque : Est-ce que ma calligraphie révèle une détermination à tout casser et une irrésistible envie de réussir? À vérifier dans le livre d'analyse calligraphique de Jessica.)

Pourquoi l'expression « puissance de mon esprit » me fait-elle penser à des annonces qui mettent en vedette des super-héros de dessins animés? Est-ce que je deviendrai trop musclée comme eux? Probablement pas. J'ai les bras trop maigres.

Je suis rentrée à la maison et j'ai mangé une assiettée de biscuits, pour célébrer ma décision de me transformer en grande athlète.

Chapitre 5

Samedi

Ce que nous apprenons
à faire, nous l'apprenons
en le faisant.

Aristote

Calendrier des chats du Rhode Island

Et si on n'apprenait rien en faisant les choses?
Alors, quoi? Hein?

Je me suis acheté le Calendrier de la Coupe du
Monde de soccer avec mon argent de poche de la
semaine. Je l'ai accroché sur le mur en face de mon
lit. Le matin, en ouvrant les yeux, ce sont les joueurs
de soccer que je verrai en premier lieu.

J'ai lu le cahier des sports aujourd'hui, à la
recherche de perles de sagesse. J'ai appris que certains
athlètes professionnels s'entraînent huit heures par jour
ou davantage (!!!), ce qui m'encourage à m'exercer sans
répit.

Pour la cent vingt-troisième fois, Abby botte le ballon dans l'escalier de la galerie. Il heurte la porte, élargissant l'ouverture dans la moustiquaire. Le trou, qui était minuscule quand elle a commencé son entraînement, n'est plus tout à fait aussi petit.

Abby espère que personne ne le remarquera.

Le ballon redescend en bondissant de marche en marche et file dans le buisson. Abby pousse un soupir. Elle a déjà dû y ramper plusieurs fois. Ses jambes et ses bras couverts d'égratignures en sont la preuve.

Elle s'assoit dans les marches pour frotter son pied endolori. Est-ce qu'elle s'y prend mal pour exécuter ses bottés? Peut-être que des chaussures à crampons lui faciliteraient les choses.

Jessica sera bientôt là pour s'entraîner avec elle. Elle a promis de lui apprendre à faire des passes, à jongler avec le ballon et à le frapper de la tête.

Que cela paraît mystérieux et difficile! Abby espère que ce sera plus amusant que de faire des bottés dans l'escalier.

Elle prend son journal.

Il faut conserver une attitude positive. Sinon, tout est perdu.

L'avenir appartient à ceux qui se lèvent tôt.

Mais je n'aime pas me lever tôt.

Essayons autre chose.

Est-ce que le petit gland ne devient pas un chêne splendide?

Voilà : je serai comme le gland, ma splendeur future demeurant, pour l'instant, invisible.

Mais si quelqu'un lui donne un coup de pied, au petit gland, et l'envoie voler sur un trottoir de béton, hein? Et si un écureuil l'avale tout rond? Et s'il n'arrive jamais à tomber en bas de l'arbre?

Petit accroc dans la moustiquaire deviendra grande déchirure. Ma famille acceptera-t-elle ce « proverbe » comme excuse?

— Salut, Abby!

Jessica arrive, portant des protège-tibias, un maillot jaune tout neuf et des chaussures à crampons. Elle a enfoui son inhalateur dans la poche droite de son short. Elle marche en dribblant avec son ballon de soccer.

— Qu'est-ce que tu écris? demande-t-elle.

Abby dépose son cahier.

— Mes réflexions sur le conseil de sagesse que donne aujourd'hui le Calendrier de la femme au travail. C'est à ma mère.

Jessica lève un sourcil. Abby et elle passent leur temps à lire, mais Jessica dévore des récits de science-fiction ou des histoires fantastiques, pas les calendriers de sa mère.

Abby devine qu'elle est peut-être la seule élève de cinquième année qui consacre ses temps libres à la lecture des calendriers. Elle ose croire qu'il n'y a pas là matière à s'inquiéter. Elle a déjà bien assez de sujets de préoccupation : sa tignasse rousse ébouriffée et indomptable, par exemple, sa famille brillante et athlétique, l'équipe de soccer...

— Prête pour l'entraînement? demande Jessica.

— Bien sûr. Pourquoi pas?

Jessica botte le ballon vers Abby. Il tourbillonne à travers la pelouse et atterrit devant elle.

Abby le regarde attentivement. Qu'est-elle censée faire, maintenant? Dribbler? Le mot lui fait penser à un bébé baveux[1]. Elle imagine quelqu'un en train de se faire les dents sur un ballon de soccer géant accroché au bout d'une suce.

— Maintenant, fais-moi une passe! dit Jessica.

Le ballon vole en l'air. Jessica le frappe du genou.

— C'est ce qu'on appelle *jongler*, explique-t-elle. Le ballon ne touche pas le sol. On peut le frapper avec les genoux, la poitrine ou la tête.

— Et si on jouait avec des oranges? demande Abby. Comme quand on jongle pour de vrai? Et si l'orange était très mûre... squouiche! Du jus d'orange!

Abby imagine Brianna avec de la pulpe d'orange dégoulinant sur son visage. Voilà une bonne pensée,

---

[1] En anglais, le verbe *to dribble* veut dire « baver », en parlant des bébés.

encore plus inspirante que celle du petit gland. Elle s'en rappellera lorsque Brianna sera sur le terrain, en train de hurler à la tête d'une joueuse.

— Allez, botte-le, Abby! s'écrie Jessica. Lance-le dans le but! C'est ça! Continue de bouger!

Abby s'interrompt brusquement au milieu de son coup de pied. Trois personnes viennent d'entrer dans la cour : son frère de sept ans, Alex, et ses sœurs jumelles de quatorze ans, Isabelle et Éva. Ils sont tous là à la dévisager. « Pourvu qu'ils ne soient pas arrivés depuis trop longtemps! songe Abby. Surtout les jumelles. »

Alex jette un regard admiratif à Abby. Il aime tout ce qu'elle fait, qu'il s'agisse de n'importe quoi, et même s'il peut le faire mieux qu'elle.

Alex n'est pas un athlète, c'est vrai, mais il connaît toutes les stratégies du moindre jeu informatique ou électronique à avoir été inventé. Abby considère son frère comme son arme secrète. Un jour, quand Zach et Tyler deviendront tout simplement insupportables, elle leur présentera ce petit maigrichon de deuxième année. Et il les battra à tout coup, quel que soit le jeu auquel ils le défieront.

— Vous jouez au soccer? demande Éva.

Tout est ferme chez Éva : son menton, ses muscles bien développés et la conviction de son excellence. Elle excelle dans plusieurs disciplines sportives : basketball, ski, natation, aviron, balle molle et crosse. Même si elle n'est qu'en neuvième année, elle a déjà été encouragée par des recruteurs professionnels.

Elle est vêtue d'un short ajusté et d'un t-shirt propre et bien pressé. Ses cheveux foncés sont ramassés en un chignon derrière sa tête. Elle n'est pas maquillée et ne porte aucun bijou.

Par contraste, sa jumelle, Isabelle, laisse flotter sa chevelure sur ses épaules. Elle a les ongles peints en bleu. Elle affectionne les chemisiers légers, les longues jupes en velours et les colliers en métal. Jamais personne ne pourrait la prendre pour Éva!

Isabelle est l'élève qui obtient les meilleures notes de son niveau, celle dont tous les enseignants raffolent. Quand elle se présente quelque part, elle attire tous les regards. Elle a de la présence, du charisme et elle est très intelligente. Autant Éva aime les sports, autant Isabelle les déteste, et elle n'en finit pas de débattre avec sa jumelle des mérites de la matière grise versus les muscles.

Isabelle et Éva sont des puissances rivales dans la famille Hayes. Égales, mais très indépendantes. Un jour, l'une d'entre elles régnera sur l'univers – ou alors elles régneront toutes les deux sur l'univers, mais il y aura eu, au préalable, une gigantesque bataille pour le diviser.

— Les sports! s'exclame Isabelle avec dédain, donnant le coup d'envoi à une nouvelle escarmouche. Une bande de personnes en sueur qui pourchassent un minuscule ballon et qui deviennent tout excitées.

— Alors, qu'est-ce que vous faisiez? demande-t-elle.

— On s'exerçait à faire des passes, répond Jessica. Tu veux jouer?

Abby ouvre la bouche si grande qu'elle manque de se décrocher la mâchoire. En fait, si celle-ci n'était pas solidement attachée à son visage, elle tomberait carrément.

Jessica connaît l'opinion d'Abby sur ses super-grandes-sœurs! Et voilà qu'elle se permet d'en inviter une à participer à leur entraînement! Non, mais! Bon, c'est vrai qu'Éva s'est invitée elle-même – mais comment Jessica peut-elle commettre pareille trahison et l'accueillir comme si elle était la bienvenue?

— Si Éva est là, tu n'as plus besoin de moi, coupe Abby.

Jessica lui jette un regard noir et Abby fusille son amie des yeux. Alors, Jessica se met à dribbler le ballon en direction d'Éva.

— Attrape, Éva! crie-t-elle.

« Jusqu'où va-t-elle aller, cette sans-cœur? » s'indigne Abby.

— Attention! L'arrière est à tes trousses! crie Éva.

Jessica s'éloigne en courant, maîtrisant le ballon du pied.

— Vas-y, Abby, un peu d'initiative! tonne Éva d'une voix forte et autoritaire. Arrache-lui le ballon!

Indifférente aux paroles de sa sœur, Abby prend la

direction opposée.

Éva fronce les sourcils.

— C'est quoi, son problème? demande-t-elle à Jessica.

— Aucune idée! répond Jessica.

Éva fixe Abby un moment, puis hausse les épaules.

— Je ne comprends pas, dit-elle. Eh bien, il faut croire qu'on ne pourra pas jouer aujourd'hui. Désolée, Jessica. Une autre fois, peut-être.

Et elle entre dans la maison.

Aussitôt, Jessica rejoint Abby.

— Tu n'aurais pas dû mentir, lui reproche-t-elle, furieuse. Tu vois ce qui est arrivé à cause de ça?

La meilleure amie d'Abby perd rarement son calme. Jessica est sereine et conserve ses moyens en toute circonstance, ou presque. Sa chambre est bien en ordre, et son esprit aussi.

— Pourquoi l'as-tu invitée à jouer? crie Abby. Tu sais à quel point Éva est insupportable quand il s'agit de sport!

Les deux filles échangent des regards courroucés.

Sans ajouter quoi que ce soit, Abby tourne les talons et gravit l'escalier de la galerie à grands pas colériques. Elle n'a nul besoin de voir sa super-grande-sœur Éva se mêler de sa vie – pas plus que sa meilleure amie Jessica.

Elle élaborera son propre programme d'entraînement.

Chapitre 6

Hein? Ai-je besoin de pluie? Non! Le terrain serait détrempé et je glisserais dans la boue. On n'annule pas les entraînements de soccer pour cause de pluie.

Ce matin, au déjeuner, j'ai sorti le livre de cuisine d'Éva, « Les recettes du succès sur le terrain », et j'ai préparé une boisson santé, avec levure de bière, poudre de protéine, tofu, lécithine et arachides crues.

OUACHE!!

J'ai médité pour améliorer ma performance en soccer. Mais le goût dégueu dans ma bouche m'a empêchée de me concentrer.

J'ai fait trois fois le tour du pâté de maisons en solo.

J'ai mangé deux sandwiches à la crème glacée pour me débarrasser de l'arrière-goût de la boisson santé.

J'ai effectué cinquante et un bottés dans l'escalier de la galerie avec mon ballon de soccer. Le trou dans la moustiquaire s'agrandit toujours. (Personne n'a encore remarqué.)

Je me suis exercée à passer, à dribbler et à frapper de la tête avec Alex. Génial garçon qui comprend très bien mes problèmes. Il a essayé de me donner des conseils, mais il ne s'y connaît pas vraiment dans le soccer non généré par ordinateur.

J'ai réussi à cacher mon plan aux super-jumelles. Super-grande-sœur Éva est partie se baigner à la piscine de l'école secondaire. Super-grande-sœur Isabelle a dû filer d'urgence au centre commercial pour acheter du vernis à ongles. Ses ongles l'obsèdent. Peut-être les considère-t-elle comme une breloque porte-chance.

Rien n'arrêtera Abby Hayes!!!

Plus tard dans la journée...

Je suis allée au parc après dîner. La nouvelle, Nathalie, lisait son roman d'Harry Potter, assise sous un arbre. (Question : est-ce qu'elle prend sa douche avec son livre d'Harry Potter?) Elle m'a dit que ses

parents l'ont forcée à aller au parc.
Pourquoi : parce qu'elle a besoin
d'exercice et d'air frais. Elle a caché
son livre sous son chandail en coton
ouaté.

Je lui ai demandé si elle avait
le goût de s'entraîner au soccer avec
moi. Elle a dit oui. Ainsi, elle ne mentira pas à ses
parents quand ils lui demanderont si elle a fait de
l'exercice.

On s'est amusées un bout de temps à botter le
ballon autour du parc. Je joue mieux que Nathalie.
Elle ne raffole pas des sports. Elle dit qu'elle préfère
lire, résoudre des mystères et faire des
expériences chimiques. Une fois, avec son jeu
de chimie, elle a fabriqué une poudre qui a
coloré ses mains en bleu pendant une
semaine. Je lui ai dit que je devrais
peut-être en apporter à Isabelle. Ainsi
la couleur de ses mains serait assortie
à ses ongles.

J'ai demandé à Nathalie comment elle cotait notre
école. Elle a répondu que la nôtre était bien meilleure
que celle qu'elle fréquentait avant. Dans son ancienne
école, il y avait trente-cinq élèves par classe au lieu
de vingt-deux. Un cours de musique par semaine au

lieu de deux. Et pas de création littéraire. Elle aime Mme Élizabeth, elle aussi.

Avant de rentrer, Nathalie a dit qu'elle était contente que ses parents l'aient envoyée au parc.

Décidément, cette fille me plaît. Elle pourrait devenir une nouvelle amie.

Nouvelles de la famille Hayes
entendues pendant le souper

Lors du souper du dimanche soir, les membres de la famille Hayes ont échangé les nouvelles de la semaine.

Olivia Hayes a reçu une promotion : elle a été nommée associée à part entière de son cabinet d'avocats.

Paul Hayes a décroché un nouveau contrat très important.

Entre d'énormes bouchées de purée de pommes de terre, Éva Hayes a fait savoir qu'elle a brisé le record de son école en natation, style libre. Elle a aussi été élue capitaine de son équipe de basketball et de son équipe de crosse.

Les enseignants d'Isabelle Hayes (Mademoiselle aux ongles parfaits) l'ont choisie pour représenter notre ville dans un concours d'histoire au niveau national. Elle se rendra à Washington, D.C. au printemps.

Alex Hayes a annoncé qu'il travaille à la conception de son propre jeu informatique, qu'il prévoit mettre en marché et vendre sur le Web. Il sera probablement millionnaire avant d'avoir neuf ans.

Quant à Abby H., elle n'avait rien à dire.

Je dois devenir une super joueuse de soccer. Il le faut, il le faut, il le faut!

J'ai étudié le cahier des sports du dimanche après le souper. J'ai lu l'histoire touchante de cet athlète qui a surmonté un cancer pour gagner une course. Ce que j'ai à surmonter est tellement moins grave. Je ne dois pas abandonner, mais redoubler d'ardeur. Note : pourquoi ne dit-on pas « retripler » d'ardeur? Ça ressemble davantage à ce que je veux faire. Je dois retripler d'ardeur.

Boire davantage de boissons santé!

Faire davantage de redressements assis!

M'entraîner davantage au soccer!

Le truc du jour en soccer : s'exercer à jouer avec les deux pieds. On peut ainsi frapper le ballon, peu importe l'angle d'arrivée.

Je vais devoir dîner avec Nathalie demain, à

l'école, si Jessica et moi sommes toujours en chicane. Je me demande si Nathalie peut concocter une poudre sportive avec son jeu de chimie, une poudre qui me transformerait en étoile du soccer. Je me demande si elle peut fabriquer une poudre d'amitié, pour retisser les liens entre copines en chicane.

C'est la dernière chose que j'écris aujourd'hui! Promis!

Hé! je suis sincère. Au secours! Je ne peux pas m'empêcher d'écrire. Impossible d'arrêter... Pas capable... L'Esprit de la Plume me hante sans arrêt. Allez, c'est tout pour l'instant!!!!

Chapitre 7

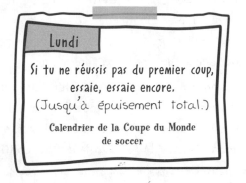

Lundi

Si tu ne réussis pas du premier coup,
essaie, essaie encore.
(Jusqu'à épuisement total.)

**Calendrier de la Coupe du Monde
de soccer**

Tractions : douze. Redressements assis : neuf. Je
me suis effondrée, en proie à des éternuements dus
à la poussière du tapis. C'est Isabelle qui passe
l'aspirateur, cette semaine. Elle ne fait pas tout
à la perfection!

Je me suis préparé une boisson
énergisante : protéines en poudre, fruits
séchés, lait en poudre, enzymes de
protéines, jus d'ananas, breuvage
à la vitamine C, lécithine et raisins.

Je me suis forcée à en boire la
majeure partie. J'ai versé le reste au fond de l'évier.
Une mousse s'est formée avant de couler dans le
renvoi. Devrais-je m'en alarmer ou y voir un signe
que la boisson commence déjà à faire effet?

J'ai lu dans le cahier des sports l'histoire d'une femme qui avait été classée dernière au marathon, et qui a réussi à arriver première, grâce à son travail acharné, à sa détermination et à sa foi en elle-même. Voilà quelque chose qui pourrait m'arriver.

J'ai fait cinq fois le tour du pâté de maisons en joggant, avec mon sac sur le dos pour m'entraîner à courir avec un poids. Mes manuels scolaires ont écrabouillé mon lunch. Il y avait de la confiture aux fraises sur mon devoir. Je l'ai essuyé avec un linge et je me suis fait un nouveau sandwich. J'ai fait appel à mon auto-discipline pour ne pas lécher mes doigts pleins de confiture.

Devinette du jour : savez-vous pourquoi les joueurs de soccer n'ont jamais chaud?

Réponse : parce qu'ils ont des milliers de fans[2].

Bonne nouvelle du jour!

Jessica est venue chez moi, après l'école, pour s'excuser. Si elle a invité Éva à jouer au soccer, c'est parce qu'elle m'en voulait d'avoir menti. Elle a dit qu'elle était désolée.

Je me suis excusée d'avoir abandonné la partie. Je lui ai promis que la prochaine fois que je devrai mentir à mes sœurs, je m'arrangerai pour ne pas l'impliquer.

---

[2] En anglais, le mot *fan* signifie « admirateur » *et* « ventilateur ».

– Pourquoi ne leur dis-tu pas la vérité? a-t-elle voulu savoir.

– J'essaie, mais il y a des fois où je ne peux pas! Comment te sentirais-tu si tu avais des sœurs jumelles meilleures que toi dans TOUT? Et qui ne se gênent pas pour te le faire savoir?

Jessica a réfléchi un moment.

– Ça me rendrait folle, a-t-elle fini par avouer.

Elle n'a ni frères ni sœurs (la chanceuse!) et un seul parent, sa mère, qui n'est certainement pas parfaite!

Après ça, on s'est demandé pardon, on a pleuré, on s'est embrassées et on a promis de ne plus jamais se chicaner. Hourra! C'est merveilleux d'avoir une meilleure amie!

Je lui ai raconté ma rencontre au parc avec Nathalie, et j'ai suggéré qu'on se retrouve ensemble, toutes les trois, après l'école. Elle a trouvé que c'était une bonne idée.

— Psstt! Tyler, fait Abby.

Elle désigne son sac à dos ouvert et le Game Boy qui en dépasse. Elle se rappelle la menace de Mme Doris de confisquer tous les jeux ou stations de jeux qu'elle trouverait à l'école.

Tyler la regarde sans comprendre.

— Ton jeu électronique, précise Abby.

— Hein?

— Oh! laisse tomber, marmonne Abby.

Pourquoi cherche-t-elle à être gentille avec Tyler, de toute façon? La semaine dernière, il l'a traitée de « pied empoté » pendant le cours d'éducation physique.

Brianna a éclaté de rire. Abby espère que c'est parce qu'elle trouve Tyler à son goût, et pas parce qu'elle est d'accord avec lui.

— Rangez vos projets scientifiques, dit Mme Doris avant de se racler la gorge. Et préparez-vous pour un test de maths contre la montre.

Plusieurs élèves poussent des grognements mécontents. Mme Doris se racle la gorge de nouveau.

— Je sais bien que c'est l'activité que tout le monde aime le moins, ajoute-t-elle, mais ça va vous aider à la fin de l'année. Dégagez vos pupitres et restez assis tranquilles jusqu'à ce que tout le monde soit prêt.

Brianna attend, les mains jointes bien sagement sur son pupitre, une expression suffisante sur le visage.

Derrière elle, Béthanie attend, dans une posture identique.

Je me demande si Béthanie prend des leçons de Brianna. Ou si Tyler et Zach sont nés avec des minijeux électroniques dans les mains.

Mme Doris commence la distribution des tests.

— Faites chaque problème aussi vite que vous le pouvez. S'il y en a un qui vous embête, passez au suivant. Vous y reviendrez à la fin, s'il reste du temps.

— Madame Doris! Madame Doris! crie Brianna en agitant la main. Je me suis exercée à faire des tests contre la montre, cet été, avec Béthanie.

— C'est exact, madame Doris! confirme Béthanie.

- L'indice de fanfaronnade de Brianna. Nombre de fois que Brianna s'est vantée en classe jusqu'ici : 9. (Mais attendez : d'ici la fin de la journée, ce nombre passera peut-être à mille quelque chose.)

- Nombre de fois que Tyler el Zach ont utilisé le mot « jeu » dans une phrase : 1 000 000 000.

- Nombre de fois que j'ai écrit dans mon cahier depuis 7 h ce matin : 4.

— Abby, je suis contente que tu raffoles autant de l'écriture, dit Mme Doris. Mme Élizabeth sera très impressionnée de tout ce que tu as rédigé. Maintenant, range ton cahier. Le test de maths va commencer.

Abby glisse le cahier et sa plume mauve dans son pupitre.

« Les maths! marmonne-t-elle. Les maths, les maths,

les maths... »

— Vous avez quinze minutes pour résoudre vingt problèmes, annonce Mme Doris. Je règle le chronomètre et... c'est parti!

Abby parcourt des yeux les colonnes de divisions et multiplications compliquées. Elle est une voiture de Formule 1. Elle est un fier coursier. Elle est une sprinteuse. Elle est... elle est...

Elle est en panne.

Bon, 85,1 fois 9,13, ça fait combien, au juste? Ou alors 56,8 divisé par 0,73?

Les maths ne sont pas sa matière forte. Alex y excelle, lui. Ainsi qu'Isabelle (mais Isabelle excelle dans tout, alors...)

Brianna a déjà fini! Elle s'empresse d'aller remettre sa copie complétée à Mme Doris.

Puis Nathalie termine à son tour. « Avant Béthanie, ha, ha, ha! », songe Abby tout en additionnant une colonne de nombres.

Tyler et Zach ont fini. Ainsi que Jessica, Béthanie, Rachel, Meghan, Jon, Mason, Collin...

— Les quinze minutes sont écoulées!

Abby griffonne la réponse du problème sur lequel elle travaillait. Voilà. Elle les a presque tous faits. Sauf cinq.

— Un peu plus de concentration, Abby, et tu pourras les finir tous la prochaine fois, dit Mme Doris d'un ton encourageant.

Merveilleux! Encore une autre chose à améliorer. Abby n'a tout simplement pas envie de se concentrer sur les maths, ces jours-ci. Elle a trop de soucis.

C'est de plus en plus compliqué de devenir une étoile de soccer.

Ce matin, M. Steve a distribué les formulaires d'autorisation à faire signer pour pouvoir se joindre à l'équipe de soccer. Il faut les rapporter jeudi, jour du premier entraînement. Les joueuses doivent aussi se procurer des protège-tibias et des chaussures à crampons.

Comment Abby y arrivera-t-elle? Comment obtenir la signature de ses parents sans leur dire qu'elle se joint à l'équipe?

Jamais son avocate de mère ne signera quelque papier que ce soit sans l'avoir lu.

Son père est moins prudent, mais plus curieux. Il voudra connaître tous les détails : pourquoi elle veut faire partie de l'équipe? Qui d'autre en sera? À quelle position elle veut jouer?

Une des super-jumelles ne manquera pas de surprendre leur conversation.

Garder un secret, quel qu'il soit, n'est pas chose facile dans la famille Hayes!

Autre problème : si elle ne se confie pas à l'un ou l'autre de ses parents, qui va payer ses protège-tibias et ses chaussures à crampons? Et comment expliquera-t-elle qu'elle rentre si tard à la maison, les jours d'entraînement?

En plus, Abby doit continuer à perfectionner ses techniques en soccer. C'est difficile de savoir si, oui ou non, son programme fonctionne. Elle se demande si un mois suffit pour se transformer en étoile du soccer.

Chapitre 8

Sans commentaire.

Nombre de couleurs de vernis à ongles que possède ma sœur Isabelle : 35.

Nombre de paires de boucles d'oreilles que possède Brianna : 18.

Nombre de fois par jour que Mme Doris dit : « Tyler et Zach! Écoutez! » : 27 (en moyenne).

Nombre de fois que Tyler s'est mis les doigts dans le nez en classe : 5.

Nombre de mensonges que j'ai dits à cause du soccer : 3.

Nombre de buts que j'ai comptés : 0.

Mme Doris se racle la gorge moins souvent,

maintenant. Heureusement! Aujourd'hui, elle
porte une robe en toile brune et des souliers de
course blancs, plus confortables que les autres
souliers, selon elle. Elle est gentille, mais
Mme Élizabeth demeure mon enseignante préférée.
Je souhaiterais qu'elle vienne chaque jour de
la semaine, même le samedi et le dimanche.

Trucs de soccer : Passer avec l'intérieur du
pied. Frapper sur les lacets. Garder les orteils pointés.

Je me suis entraînée au soccer toute la semaine.
J'ai bu des concoctions dégoûtantes (je n'ai pas
encore vomi, mais j'ai bien failli); j'ai fait des
redressements assis, des tractions, des sautillements
sur place; j'ai aussi regardé des parties de soccer
à la télé. Mia, Michelle et Briana m'impressionnent!

Après avoir regardé ces parties de soccer, je suis
montée méditer dans ma chambre. Je me suis imaginée
en joueuse de l'équipe de la Coupe féminine de soccer.
J'entendais les encouragements de la foule en délire!
Je ressentais la puissance et la gloire! En ouvrant

les yeux, je me suis retrouvée dans la peau
bien ordinaire d'Abby H. J'ai regardé mes
calendriers pendant quelque temps, puis
je suis sortie dans la cour pour
perfectionner mes coups de pied.

Alex est venu avec moi. À un moment
donné, il a frappé le ballon avec sa tête et s'est
senti étourdi.

Je ne suis pas encore une grande athlète. La puissance de mon esprit ne s'est pas encore enclenchée. C'est peut-être comme ces produits chimiques qui agissent lentement. Un jour, quand je m'y attendrai le moins, je me réveillerai transformée.

Abby lève les yeux. Mme Élizabeth est entrée dans la classe pendant qu'elle écrivait. Elle porte un chandail en velours rouge et un jean évasé. Elle a les cheveux tressés en un chignon maintenu en place à l'aide de petites barrettes rouges.

Mme Élizabeth est non seulement mon enseignante préférée, mais c'est aussi elle qui porte les plus beaux vêtements. Même Brianna et Béthanie discutent de ses ensembles.

Elle a apporté une boîte à chaussures. Je me demande ce qu'il y a dedans. Des souliers? Peut-être va-t-elle offrir une paire de sandales à plates-formes à Mme Doris, ou alors des bottines de combat? Ha, ha!

— Qu'est-ce qu'il y a dans cette boîte? demande Jessica.

— Notre exercice de création littéraire de la journée, répond Mme Élizabeth en souriant.

— Nous allons écrire des textes sur les souliers? fait Zach.

— Tiens, dit Mme Élizabeth en déposant la boîte sur son pupitre. Jette un coup d'œil.

Zach regarde dans la boîte et en tire une coupure de journal.

— C'est quoi, ça? demande-t-il.

— Ce sont des manchettes, explique Mme Élizabeth. Je les collectionne depuis des mois.

— *Les Giants se déchaînent*, lit Zach. *Les Cardinals piétinent l'adversaire.*

— Servez-vous de ces manchettes pour faire jaillir votre inspiration et stimuler votre imagination, dit l'enseignante en reprenant la boîte pour la passer à Tyler. Ensuite, écrivez un poème ou une histoire. La manchette peut vous servir de titre ou vous pouvez en faire le début de votre texte. Pendant que vous écrivez, je vais jeter un coup d'œil à votre journal.

Abby prend une manchette dans la boîte à souliers, la lit, et éclate de rire. *Gluk transformé en Plouc.*

— C'est une de mes préférées, dit Mme Élizabeth. Je sais que tu en feras quelque chose de fantastique.

Abby rougit de plaisir.

— Toi, Jessica, qu'est-ce que tu as pris? demande-t-elle.

— *La garde-robe changeante du voyageur vers le soleil*, dit Jessica en brandissant le pouce pour montrer sa satisfaction. Génial! Ça me permettra de parler du cosmos.

Nathalie se penche pour montrer sa manchette à Jessica et à Abby :

— *Une réaction chimique met la ville sens dessus dessous.* C'est super! Je vais pouvoir intégrer des éléments de mes expériences de chimie.

— Vas-tu à l'entraînement de soccer après l'école? lui demande Abby.

— Uniquement parce que mes parents m'y obligent, soupire Nathalie, les yeux rivés sur sa manchette.

Jessica lui jette un regard compréhensif.

— Nous y serons aussi, fait-elle.

— Chouette, alors! dit Nathalie, dont le visage s'éclaire. Ce sera amusant!

— Allez, tout le monde, lance Mme Élizabeth. On se met au travail!

Abby prend sa plume.

Je dépose un gluk sous mon lit et il se transforme en plouc. Mon petit frère se prend la main dedans : plus moyen de l'enlever. Il devient rouge de colère – le pauvre, il ne peut plus jouer à l'ordinateur. Ma sœur accourt à sa rescousse, mais voilà qu'elle se prend, elle aussi – la pauvre, elle va rater sa partie de basketball. Vous devriez entendre le beau concert de hurlements dans ma chambre!

À la fin de la période, Mme Élizabeth ramasse les histoires et redonne à chacun son journal.

— Tu fais du travail formidable! dit-elle à Abby en lui remettant le sien.

Elle revient à l'avant de la classe et réclame l'attention des élèves.

— Voici vos devoirs pour la semaine prochaine, dit-elle. Écrivez dans votre journal et lisez trois articles publiés dans la presse écrite. Dans trois semaines, vous devrez me remettre votre propre article, sur le sujet de votre choix.

Jessica donne un coup de coude à Abby.

— Un article de journal! murmure-t-elle. Ça devrait être amusant! Sur quoi vas-tu écrire?

— Je n'en sais rien, répond Abby en chuchotant.

Elle baigne encore dans l'allégresse provoquée par le *fantastique* et le *travail formidable* que lui a servis Mme Élizabeth. C'est le genre de compliments qu'elle voudrait entendre à propos de son jeu au soccer.

Problème : je ne comprends toujours pas la différence entre avant droit et défenseur droit. Et pourquoi est-ce que tout le monde trouve ça si génial de frapper le ballon avec la tête? Ayoye!

Ayoye!

J'ai dit à mes parents que j'allais chez Jessica après l'école. Ce n'était pas vraiment un mensonge. En tout cas, pas un gros. On va revenir à pied ensemble jusque chez elle, après l'entraînement. Peut-être que Nathalie va se joindre à nous.

Quelques heures plus tard, Abby rejoint un groupe de filles de cinquième année tout excitées au gymnase. Dans son sac d'école se trouvent des protège-tibias défraîchis qu'elle a dénichés au fond de la penderie d'Éva. Jessica lui a prêté ses chaussures à crampons de l'année dernière, devenues trop petites pour elle. Elles sont parfaites pour Abby.

M. Steve donne un coup de sifflet.

— Est-ce que tout le monde a remis son formulaire d'autorisation?

Derrière Jessica et Nathalie, Abby reste immobile. Peut-être que personne ne s'apercevra qu'elle n'a pas apporté le sien. Si on lui pose la question, elle prétendra l'avoir oublié ou déjà remis.

Mais qu'arrivera-t-il si M. Steve devine que ce n'est pas vrai? Et s'il la nomme à haute voix pour lui demander de sortir devant tout le monde?

« J'aurais dû me confier à papa, songe Abby. Il aurait gardé mon secret. » Si elle se fait humilier devant Brianna, Béthanie et les autres filles de la classe, ce sera bien de sa faute. Peut-être qu'elle va se faire chasser de l'équipe avant même que la saison commence. Qui sait si elle n'a pas déjà anéanti ses chances de devenir une étoile de soccer?

Jessica a raison : c'est mal de mentir!

Elle se croise les doigts et touche du bois. « Si je m'en tire sans problème cette fois-ci, promet-elle, je vais aller voir papa tout de suite après l'entraînement et lui demander de signer le formulaire. »

— Allez, tout le monde, nous allons jouer un match d'exercice, annonce M. Steve. Et nous choisirons ensuite notre capitaine. Nous disputerons notre premier match officiel dans deux semaines. Nous affronterons d'autres équipes de la ville. L'équipe qui finira en première place ira en éliminatoire pour le championnat du comté.

— Je serai capitaine de l'équipe championne, annonce Brianna.

Béthanie lève le poing en l'air en signe d'appui.

— J'admire ton esprit d'équipe, Brianna, dit M. Steve. Tes coéquipières choisiront leur capitaine après l'entraînement.

— Je vais gagner, affirme Brianna.

Les mains sur les hanches, elle passe en revue les joueuses de cinquième année.

— On va voter pour toi, promettent Rachel et Meghan.

— Un vote pour Brianna, c'est un vote pour la meilleure, s'écrie Béthanie. Ouais, Brianna!

Jessica frappe Abby du coude.

— Propose ma candidature, lui dit-elle.

— Tu veux être capitaine, toi?

Jessica fait oui de la tête.

— Bon, d'accord! fait Abby, surprise.

Jamais elle n'a soupçonné que son amie désirait devenir capitaine. Mais, chose certaine, si Jessica gagnait, elle serait bien meilleure que Brianna.

Les filles de cinquième année enfilent des dossards bleu et jaune. Puis, formant un petit peloton, elles filent dehors et se dirigent vers le terrain de soccer.

Chapitre 9

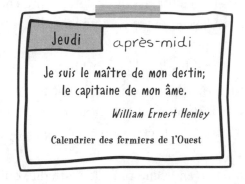

Mais qui sera capitaine de mon équipe de soccer? Astuces de soccer : ne PAS regarder vers le bas et ne PAS suivre le ballon des yeux, sous peine de ne pas voir où on va.

— Passe le ballon, Abby! crie Béthanie. Par ici!

Abby voit le ballon qui vient droit vers elle. Elle a l'impression qu'il bouge au ralenti. Prenant une grande respiration, elle se prépare à l'intercepter.

Voilà sa chance de faire ses preuves dans le tout premier entraînement. Jusqu'ici, elle n'a pas fait grand-chose pour aider son camp. Par ailleurs, elle n'a rien fait d'affreux non plus.

Le ballon se rapproche encore. Que faire? Dribbler, jongler ou le frapper de la tête? En ce qui concerne le soccer, Abby est comme un bébé qui sait parler, mais pas marcher.

Soudain, comme s'il agissait de son propre chef, voilà que son pied se lève et entre en contact solide avec le ballon.

— C'est ça! crie Jessica. Vas-y, Abby!

Abby n'en revient pas : son pied a fait ce qu'il fallait. Un mystérieux instinct s'est substitué à elle. Son corps a su comment réagir. Peut-être est-ce bien vrai qu'elle a un talent caché!

Le ballon passe en flèche près de Nathalie, qui essaie faiblement de le botter.

Puis Brianna se rue pour en reprendre le contrôle, mais Rachel, du camp adverse, l'a déjà intercepté et le botte tout droit dans le filet.

— Un point! crie M. Steve.

Ses coéquipières se ruent sur Rachel pour l'embrasser.

Brianna fusille Nathalie du regard.

— C'est de ta faute! siffle-t-elle entre ses dents.

Nathalie s'éloigne en haussant les épaules.

— Tu joueras mieux la prochaine fois, lui dit Abby pour la consoler.

Pour sa part, elle vit encore dans l'euphorie de son succès d'il y a un moment. Même si c'est l'autre camp qui a marqué, sa passe est tout de même un miracle, une percée, un étonnant moment de grâce. Un signe qu'elle est sur la bonne voie.

M. Steve lui sourit.

— Magnifique, Abby. Continue à bien jouer! Il faut t'entraîner, t'entraîner et t'entraîner encore.

Le monde entier l'adulera quand elle sera devenue une vedette du soccer. Elle imagine sa famille rayonnante de fierté. Elle entend les félicitations de ses coéquipières, et Mme Élizabeth qui lui dit : « Je savais bien que tu étais capable!» À force de voir Abby marquer autant de points pour l'équipe, même Brianna devra reconnaître qu'elle est une étoile.

M. Steve annonce la reprise du jeu en tapant dans ses mains.

Abby court d'un bout à l'autre du terrain, à la poursuite du ballon, espérant une autre occasion de faire une passe. Or, le ballon ne recroise pas son chemin de tout le reste du match, ou alors elle n'est pas assez rapide pour l'intercepter.

À la fin de la session, les deux camps sont à égalité. Suant de chaleur et fatiguées, les joueuses s'assoient en rond pour choisir leur capitaine.

— Je propose Brianna, lance Béthanie. Une fille brillante! B pour Brianna et brillante!

— Y a-t-il d'autres candidatures? demande M. Steve.

Abby bondit sur ses pieds.

— Je propose Jessica! dit-elle. Elle est juste et joue bien!

— Quelqu'un d'autre?

Silence.

— D'accord, alors on passe au vote. Que toutes celles qui choisissent Brianna lèvent la main. Ça va être serré, prédit M. Steve après avoir compté. Maintenant, au tour de celles qui veulent Jessica.

Après un nouveau comptage, il annonce :

— Brianna l'emporte, par cinq voix!

— Ouais, Brianna! hurle Béthanie, sautillant comme une meneuse de claque.

— Désolée, dit Abby à son amie. Tu aurais fait une bonne capitaine.

Jessica hausse les épaules.

— Ça va, dit-elle. J'ai eu plus de votes que ce à quoi je m'attendais.

— À nous la victoire! crie Brianna en se levant. Nous allons gagner! Seules les meilleures vont jouer dans notre équipe! Et c'est qui, les meilleures?

— C'est nous autres! crient les filles à tue-tête.

— On est numéro un! On est numéro un! On est l'équipe gagnante! Seules les meilleures vont jouer dans notre équipe. Les M-E-I-L-L-E-U-R-E-S, scande Brianna en détachant les lettres, comme si ses coéquipières étaient toutes en maternelle.

Abby croise le regard de Jessica.

Sa meilleure amie n'est pas trop malheureuse d'avoir

perdu le vote, elle le sait bien. Elle trouve quand même dommage que Jessica n'ait pas gagné.

Jessica serait non seulement une capitaine plus aimable et moins sévère, mais aussi une meilleure guide pour mener Abby sur le chemin de la célébrité. Celle-ci a franchi un formidable premier cap, aujourd'hui. Mais ce n'est qu'un début. Elle a encore beaucoup de pain sur la planche, plus qu'elle ne l'a jamais imaginé.

Chapitre 10

Lundi

Le succès est constitué
de 1 pour cent d'inspiration et
de 99 pour cent de transpiration.

T. Edison

Calendrier des couchers de soleil

tel que cité par ma mère, qui ne transpire jamais.

Moi, qui transpire énormément, je devrais donc avoir du succès au soccer. Pas vrai?

Je n'ai eu qu'un seul moment d'inspiration! Il ne valait même pas 1 pour cent. 0,0001 pour cent serait plus juste.

Alors, où est-ce qu'on puise l'inspiration? Dans le sommeil? Dans les querelles avec ses frères et sœurs? Est-ce qu'on peut l'attraper avec un filet à papillons?

Le point sur les objectifs d'Abby en soccer

J'ai ingurgité une boisson santé énergisante, mélange de protéines en poudre, de lait de soya en granules, de levure de bière, de concentré énergétique, de tofu et

de lécithine, avec quelques guimauves pour donner
du goût.

Double OUACHE!

J'ai médité, interdisant à mon esprit de se laisser
distraire par l'arrière-goût abominable que j'avais dans
la bouche ou par la sensation de nausée qui me
soulevait l'estomac. Je me concentrais sur mes pieds
et mes genoux : je les imaginais en train d'entrer en
contact avec le ballon, encore et
encore.

Soulèvements des jambes.
Torsions du dos. Resserrements
des abdominaux.

J'ai visionné la vidéocassette
du match de la Coupe du Monde.

J'ai pratiqué avec Jessica. J'ai jonglé avec le
ballon deux fois et je l'ai botté à plusieurs reprises.
Je me suis donné un seul coup de pied. Gros progrès.

Notre nouvelle amie Nathalie s'est jointe à nous.
Elle aussi, elle a dit que je m'améliorais.

Après notre entraînement, j'ai décidé que le moment
était venu d'avouer la vérité à mon père au sujet
du soccer.

Nombre de fois où je me suis raclé la gorge avant
de le lui dire : 12.

Nombre d'inspirations profondes que j'ai prises : un si grand nombre que papa a cru que je faisais du yoga.

Nombre de fois que je lui ai fait promettre de ne jamais, au grand jamais, révéler mon secret à mes super-sœurs : 16.

Nombre de becs qu'il a reçus après avoir répondu : « Ne t'en fais pas, ton secret est en sécurité avec moi. Maintenant, donne-moi ce formulaire que je le signe! C'est important de le remettre! Surtout quand on a une mère avocate. » Eh bien, je lui en ai donné au moins 100. Et il ne s'était même pas rasé!

Voilà ce qu'a dit papa :

— Si quelqu'un s'informe de toi, Abby, je répondrai que tu es avec Jessica. J'omettrai simplement de dire que tu joues au soccer. C'est un secret inoffensif et tu as bien le droit de le cacher à tes sœurs.

On a un autre test de maths contre la montre demain. (GRRRR!) Je déteste les tests de maths contre la montre! C'est si difficile! Je déteste les fractions! Je déteste les décimales! Et je déteste les multiplier et les diviser!

Parmi les autres nouvelles de dernière heure : nous avons eu un entraînement de soccer après l'école, aujourd'hui. J'étais soulagée de remettre mon formulaire à M. Steve. Il m'a fait garder le but pendant la première partie du match. Au soccer, les gardiens de but portent une grille sur le visage et des épaisseurs de rembourrage autour de l'abdomen et de la poitrine. (J'avais l'impression d'être un bourdon extraterrestre!)

Le gardien (ou la gardienne) de but est la seule personne sur le terrain qui peut lancer le ballon avec ses mains.

Astuce à l'intention des gardiens de but

N'essayez pas d'attraper le ballon. Bloquez-le plutôt avec les mains!

Brianna a piqué toute une colère quand le camp adverse a marqué trois points coup sur coup! Et elle a exigé un changement dans les filets.

Si elle se met dans un état pareil pendant un simple entraînement, comment réagira-t-elle pendant un vrai match?

Je dois perdre l'habitude de me pencher pour esquiver le ballon quand il vient près du haut de mon corps, et essayer plutôt de le frapper de la tête.

La télé présente le match de soccer dans une demi-heure. Je dois réviser mes maths entre-temps, mais je n'en ai aucune envie. Je préférerais me faire injecter des cellules provenant du cerveau de mon frère de deuxième année.

Je dois étudier le soccer; continuer à observer les vedettes du soccer et, ensuite, m'imaginer en train de faire les mêmes mouvements qu'eux.

J'ai lu dans un livre qu'une des manières d'atteindre le succès consiste à écrire, cent fois par jour, les objectifs que l'on vise. S'il n'en tient  qu'à ça, eh bien, je vais le faire! À mes marques! Prête! J'Y VAIS!

Je vais devenir une joueuse étoile d'ici la fin de la saison de soccer.

Je vais devenir une joueuse étoile d'ici la fin de la saison de soccer.

Je vais devenir une joueuse étoile d'ici la fin de la saison de soccer.

Je vais devenir une joueuse étoile d'ici la fin de la saison de soccer.

Je vais devenir une joueuse étoile d'ici la fin de la saison de soc...

On n'arrête pas de se faire interrompre dans cette famille! Isabelle est entrée en trombe dans ma chambre, il y a une minute.

– Où est mon vernis à ongles? a-t-elle glapi. Tu as vu mon vernis à ongles?

Comment trouve-t-elle le temps d'être une excellente élève et la présidente de sa classe, tout en consacrant ses moindres loisirs à penser à son vernis à ongles?

Je lui ai brandi au nez mes ongles pâles et non manucurés.

– De toute évidence, je ne suis pas coupable.

Sans perdre de précieuses secondes à s'excuser, elle s'est ruée hors de ma chambre. Je l'ai entendue qui hurlait :

– Éva! Éva!

Si elle m'avait demandé mon avis, je lui aurais dit de pas perdre son temps de ce côté. Éva se fiche du vernis à ongles. Le coupable, c'est Alex. Il est sans doute en train de construire un super ordinateur à partir de micropuces, de vieux fils métalliques et de vernis à ongles, un ordinateur qui pourra faire tous nos devoirs, et sortir les ordures, par-dessus le marché. Il en serait bien capable.

Je vais devenir une joueuse étoile d'ici la fin de la saison de soccer.

Je vais devenir une joueuse étoile d'ici la fin de la saison de soccer.

Je vais devenir une joueuse étoile d'ici la fin de la saison de soccer.

Je vais...

C'est joliment ennuyant! Faut-il tout faire d'un seul coup? Je pourrais peut-être terminer plus tard.

De toute façon, je dois réfléchir à une idée d'article de journal pour le cours de Mme Élizabeth. (J'étudierai mes maths demain matin.)

Le titre de l'interview de Brianna par elle-même : « Ma vie comme capitaine de soccer ».

Le titre de l'interview imaginaire que je fais de Brianna : « Brianna la fanfaronne sème le ras-le-bol général ».

Le titre (réel) dont Zach a coiffé son article : « Les jeux électroniques ».

Le titre (réel) dont Tyler a coiffé son article : « Les jeux électroniques ».

(Comme c'est excitant.)

Le titre de l'article de Jessica : « Une vie intelligente dans l'univers cosmique : mythe ou vérité? »

Le titre de mon article :

Je n'en ai pas encore la moindre idée! Par chance, on ne doit pas le remettre avant un bout de temps.

Je vais devenir une joueuse étoile d'ici la fin de la saison de soccer.

Je vais devenir une joueuse étoile d'ici la fin de la saison de soccer.

Je vais assurément et sans l'ombre d'un doute devenir une joueuse étoile d'ici la fin...

Commotion à la porte de ma chambre : les super-jumelles s'adonnent à un « différend amical ». Si je me fie à mes oreilles, il s'agit plutôt de la Troisième Guerre mondiale. Je ferais mieux de m'arrêter tout de suite avant qu'elles ne fassent irruption dans ma... Oups! Les voilà!!!

À   P L U S   T A R D...

Chapitre 11

Ce que j'ai fait : j'ai coulé mon test de maths.

Ce que j'ai à faire : le reprendre.

Où je vais me trouver si mes parents l'apprennent :
à la maison en pénitence.

Mme Doris s'est montrée TRÈS compréhensive! « Ça
ne te ressemble pas, Abby. Je sais que tu essaies très
fort. Tout le monde passe une mauvaise journée de
temps à autre. Étudie un peu plus et tu le reprendras
demain. »

Je me suis sentie honteuse. Le fait est que je n'ai
pas étudié ce matin, comme j'en avais l'intention.

Au lieu d'étudier, je me suis tenue sur la tête

pour faire couler le sang vers mon cerveau. (Ça n'a pas marché.) Je me suis 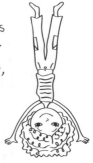 également préparé une boisson santé super énergisante : châtaignes séchées en poudre, farine de haricot, granules de lait sans gras, germe de blé, protéines concentrées, levure, quelques graines de soya, poudre de caroube, et quelques croustilles de banane pour donner du goût.

Les athlètes boivent-ils vraiment ces trucs-là?? Pas surprenant qu'ils soient toujours en train de s'entraîner! Il faut bien qu'ils se trouvent des distractions pour oublier ce goût répugnant!

J'ai déniché cinq biographies d'athlètes célèbres dans la chambre d'Éva. J'ai commencé à en lire une après le déjeuner.

Mme Doris est presque aussi merveilleuse que Mme Élizabeth. (Ce n'est pas de sa faute si j'aime la création littéraire plus que toute autre matière.)

Je réviserai les fractions et les décimales ce soir — promis!

Chapitre 12

Jeudi

Tous les nuages
sont bordés d'argent

Calendrier du firmament

En avez-vous déjà vu, un nuage bordé d'argent?
Non? Eh bien, moi non plus. Les nuages sont des
trucs boursouflés. Il arrive que le soleil les fasse
paraître rougeâtres ou dorés, mais JAMAIS argentés.
Je me demande bien qui a pu imaginer un adage
aussi stupide.

J'ai passé mon test — par la peau des dents.
Mme Doris dit que j'ai besoin d'aide additionnelle.
Elle va m'inscrire au programme de récupération en
maths.

C'est vrai! J'ai besoin d'aide! Mais pas dans le
sens où elle l'entend.

Ce qui aurait dû arriver
pendant le premier match de soccer

Abby H. a utilisé à bon escient toutes les astuces de soccer qu'elle a étudiées et mises en pratique en s'entraînant si fort. Le jeu d'équipe avec Jessica et Nathalie a été particulièrement brillant. Avec une précision étonnante, cette élève de cinquième année, qui ne joue au soccer que depuis quelques semaines, a marqué tous les buts, tant dans la première et la deuxième périodes que dans la troisième, menant son équipe à la victoire. Pour une des rares fois de sa vie, Brianna est demeurée sans voix. Pas la moindre fanfaronnade n'est sortie de sa bouche.

– Ouais, Abby! s'est écriée Béthanie.

M. Steve a recommandé à Abby de continuer à ingurgiler ses potions santé énergisantes, parce qu'il va la faire jouer dans toutes les parties, sans exception, d'ici la fin de la saison.

Ce qui aurait pu arriver

Abby H. a continué à améliorer ses techniques de soccer. Bien qu'elle n'ait pas été l'étoile du match, elle a tout de même fait quelques passes solides, permettant ainsi à ses coéquipières de marquer. Elle a empêché l'équipe adverse de compter à plusieurs reprises, et elle a même, à un moment donné, frappé le ballon avec sa tête.

Ce qui s'est vraiment passé

J'aime mieux ne pas en parler.

Commentaires d'après-match

- Pourquoi n'apporterais-tu pas un bon livre au prochain match? Et un oreiller, au cas où tu serais fatiguée. Comme ça, tu serais certaine de pouvoir te reposer, au besoin, a suggéré Brianna, qui s'inquiète de ma santé.

- Beau travail, Abby! Effort louable! Continue, tu es sur la bonne voie! a dit M. Steve, qui dirait la même chose à un cadavre.

- Tu t'améliores, Abby. Ne t'en fais pas; c'est normal d'avoir des hauts et des bas quand on pratique un sport, a affirmé ma meilleure amie.

Jessica a toujours un mot encourageant à offrir. (Elle a fait une crise d'asthme au milieu de la deuxième période et elle a dû aller s'asseoir, le temps que ça passe.)

- C'est seulement un jeu. Je ne suis là que parce que mes parents m'y obligent. On s'en fout que tu sois une étoile ou pas! Moi, je t'aime comme tu es, m'a dit Nathalie.

Mais les paroles gentilles de ma nouvelle amie ne m'ont pas aidée à me sentir mieux.

J'ai terriblement mal joué, manqué toutes les passes, et laissé l'équipe adverse marquer le but victorieux.

Mon espoir s'est envolé. Un nuage très sombre couvre le firmament tout entier. Pas le moindre petit rayon de soleil ne le perce. À bas les bonnes résolutions! La puissance de mon esprit est broyée. À quoi bon les adages inspirants?

Chapitre 13

J'ai lu cet adage inspirant ce matin, et il ne m'a pas inspirée. Il m'a déprimée.

Supposons que ça ne me tente pas de poursuivre la route, encore et toujours, à petite vitesse? Supposons que j'aie plutôt envie de faire un grand bond par en avant? Ou alors rien?

Je suis restée couchée jusqu'à ce que papa me tire du lit.

Je n'ai pas eu le cœur de préparer ma boisson santé énergisante. Je me suis plutôt concocté un délice fouetté aux fraises.

Recette : jetez dans le mélangeur deux boules de crème glacée aux fraises et une boule de crème glacée à la vanille, du lait et quelques gouttes d'essence de vanille. Mélangez le tout et buvez le plus vite possible, de peur que vos parents ou vos sœurs jumelles ne remarquent ce que vous êtes en train d'avaler en guise de déjeuner. Offrez-en une portion à votre frérot sympathique qui promet de ne pas rapporter.

Je suis allée reporter les biographies d'athlètes célèbres dans la chambre d'Éva. J'ai lu des bandes dessinées avec Alex à la table du déjeuner.

J'ai terminé tous mes devoirs.

— Je me demande si le quidditch est aussi difficile que le soccer, dit Nathalie en soupirant.

Elle prend une bouchée de sa tablette de chocolat et ajoute :

— Harry Potter semble trouver ça plus amusant, lui.

— Mieux vaut voler au quidditch que de faire des erreurs au soccer, acquiesce Abby.

— Le soccer n'est pas si difficile, dit Jessica. Ça devient même amusant, une fois qu'on a compris le principe du jeu.

Elle aspire une bouffée dans son inhalateur.

— Est-ce que ça va? s'inquiète Abby.

Il lui semble que les crises d'asthme de Jessica sont plus graves depuis quelque temps.

— C'est toujours difficile à l'automne, répond Jessica, qui siffle un peu en respirant. Avec tous les grains de pollen qui flottent dans l'air. Après la première gelée, les choses s'arrangent. Ça va aller.

— Malgré ton problème, tu marques plein de points au soccer, remarque Abby. Tu réussis beaucoup mieux que moi.

Les trois filles sont assises sur un banc du parc, les pieds sur leurs sacs à dos. Un peu plus loin, un groupe d'enfants d'âge préscolaire regardent les cygnes nager dans l'étang.

— Je ne fais pas beaucoup de progrès, enchaîne Abby.

Elle inspire profondément et elle confie à ses amies la pensée qu'elle ressasse dans sa tête depuis hier soir :

— Peut-être que je devrais abandonner le soccer maintenant, avant de me rendre complètement ridicule devant tout le monde.

Cette seule idée la fait tressaillir, comme si elle s'apprêtait à se jeter en bas d'une falaise sans parachute. Abandonner maintenant, ne serait-ce pas décevoir son père? Ou laisser tomber son équipe? Ou encore se trahir elle-même, après tout le travail et les efforts qu'elle a fournis?

Jessica s'empresse de se porter à sa défense :

— Ce n'est pas vrai! Tu joues beaucoup mieux qu'avant.

— Oui, j'ai marqué moins de points pour l'équipe adverse, ces derniers temps.

— Il faut bien que quelqu'un les aide un peu! blague Jessica.

Abby se passe la main dans les cheveux. Sa tignasse lui paraît encore plus ébouriffée, plus rousse et plus indomptable que d'habitude.

— Ta confiance en toi s'est raffermie, lui fait remarquer sa meilleure amie.

— Je fais davantage d'erreurs, dit Abby.

— Tu as beaucoup plus de détermination et de courage.

— Vraiment?

Peut-être Jessica fait-elle allusion aux risques intrépides qu'elle prend plus souvent qu'avant, comme quand elle se met dans la trajectoire du ballon qui vole vers elle à toute vitesse.

— Je ne pense pas, dit-elle.

— Mais oui, c'est vrai! affirment Nathalie et Jessica à l'unisson.

Abby se demande si elle est vraiment devenue sûre d'elle, brave et déterminée.

Si c'est le cas, ça ne peut vouloir dire qu'une chose : les adages et les slogans inspirants qu'elle s'est enfoncés dans la tête comme des multivitamines ont produit leur effet.

Elle a développé son muscle cérébral à un degré tel que ce n'est qu'une question de temps avant qu'elle devienne une joueuse de haut niveau. Si la foi transporte les montagnes, elle peut certainement botter quelques ballons de soccer.

— Il y a de l'espoir! s'écrie-t-elle.

Mais y en a-t-il vraiment?

Se crée-t-elle des chimères en croyant pouvoir devenir une grande joueuse de soccer?

Nathalie mord de nouveau dans sa tablette de chocolat.

— J'aimerais avoir envie de devenir bonne au soccer. Mais tout ce que je veux, moi, c'est rester dans ma chambre à lire ou à faire des expériences. Mes parents me trouvent bizarre.

— Vraiment? s'étonne Abby. Eh bien, les miens raffoleraient de toi. Ma sœur Isabelle est géniale à leurs yeux, parce qu'elle passe toute sa vie à la bibliothèque. Sauf, bien sûr, quand elle se fait des manucures.

— Wow! commente Nathalie. C'est impressionnant.

« Ouais, songe Abby, j'ai une famille impressionnante. Voilà le problème. »

Elle prend son journal.

Si ma famille est impressionnante, je dois donc l'être, moi aussi. Mon patrimoine génétique devra bien se manifester quelque part. Même si les autres sont du type A et moi, du type Z. Ma chevelure rousse frisottée et mon manque de génie ne sont pas des preuves que je descends d'une lignée généalogique différente. Un gène étonnant doit se cacher quelque part, mais il finira bien par se montrer, un jour.

Pas vrai?

Si un gène de type A ne se manifeste pas sous peu, je remplacerai le Calendrier de la Coupe du Monde de soccer par le Calendrier des farces scolaires.

La question brûlante du jour : que faire des objectifs que je m'étais fixés pour le soccer? Suis-je capable de les atteindre? Dans combien de temps? Assez vite pour que la différence soit évidente et que j'impressionne ma famille?

Que choisir? Continuer en nourrissant l'espoir que tout ira pour le mieux, ou abandonner en réduisant mes pertes?

Remarque : Qu'est-ce que je dois servir à l'espoir pour bien le nourrir? Et pourquoi les questions sont-elles brûlantes? Est-ce qu'on en trouve des froides?

Ou des réconfortantes?

Ne pas me laisser distraire par ces réflexions profondes. De retour à mes amies et à la décision que je dois prendre.

Abby dépose son stylo. Ses deux amies relisent leur propre journal. Jessica a griffonné des portraits d'extraterrestres dans les marges. Nathalie n'a écrit que quelques paragraphes en grosses lettres.

— J'aimerais avoir autant de plaisir que toi à écrire, Abby, dit-elle en soupirant. Je ne sais pas comment je vais venir à bout de cet article qu'on a à rédiger...

— Moi non plus, avoue Abby. Mais je vais probablement finir par trouver une idée.

Elle prend le morceau de chocolat que lui tend Nathalie.

— Pourquoi ne ferais-tu pas une critique littéraire de la série Harry Potter? lui suggère-t-elle.

— Bonne idée! s'écrie Nathalie, dont le visage s'éclaire.

— Quand je tombe en panne en écrivant une histoire, dit Jessica, j'appelle toujours Abby à mon secours.

— Et ça me fait plaisir, dit Abby. J'adore ça.

Ah! si seulement c'était aussi facile de jouer au soccer que d'écrire!

— Et alors... qu'est-ce que tu vas faire? veut savoir Jessica. Au sujet du soccer. Vas-tu abandonner?

— Je vote pour qu'Abby reste, crie Nathalie. Je pense qu'elle en est capable.

— On ne sait jamais ce qu'on peut faire tant qu'on n'a pas essayé, dit Jessica.

Elle aspire une nouvelle bouffée dans son inhalateur.

Serait-ce un signe? se demande Abby. Si sa meilleure amie se met à cracher des slogans inspirants comme si elle était l'un de ses calendriers, cela veut peut-être dire qu'elle ne doit pas capituler.

Jessica souffre d'asthme, mais ça ne l'arrête pas. Abby ne souffre pas d'asthme, et elle est prête à tout lâcher.

Nathalie est là qui l'encourage, également. Non, elle ne peut pas décevoir ses amies.

Pourvu qu'elle ne se déçoive pas elle-même!

— D'accord. Je ne vais pas lâcher tout de suite, déclare-t-elle. Je reste jusqu'à la fin de la saison.

Chapitre 14

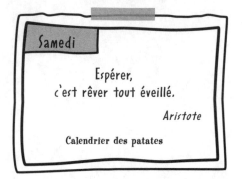

Samedi

Espérer,
c'est rêver tout éveillé.

Aristote

Calendrier des patates

(Aristote, encore lui. Isabelle raconte qu'il vivait dans la Grèce antique. Je me demande s'il collectionnait les calendriers, lui aussi.) C'est facile d'espérer pendant la fin de semaine, quand il n'y a pas de match au programme. Ce que j'espère vraiment, c'est de trouver une idée d'article pour mon devoir. On doit le remettre cette semaine. J'ai été tellement occupée à penser au soccer que je n'ai même pas commencé à y réfléchir! Je ne peux pas échouer en maths ET en création littéraire! (Encore moins si on considère que la création littéraire est ma matière forte.)

Ce matin, je me suis concocté une autre boisson santé énergisante : levure de bière enrichie de vitamines, yogourt sans gras, flocons de soya, anneaux de pommes séchées, jus de pamplemousse, poudre de protéine et son d'avoine.

Ouache! Ouache! OUACHE!

J'ai écrit : « Je vais devenir une joueuse étoile... »
150 fois sur une feuille de papier. Je l'ai accrochée
au mur à côté du Calendrier de la Coupe du Monde
de soccer.

Exercices : respirations en profondeur, redressements
assis, tractions, sautillements sur place, élévations des
jambes, rotations des épaules et du cou, roulements de
tambour (ha, ha! juste une petite farce!)

Je me suis tenue sur la tête pour faire
affluer le sang à mon cerveau. C'est la
boisson santé qui a coulé de mon estomac
à ma bouche. Ouache!

Je suis retournée chercher les biographies
d'athlètes célèbres dans la chambre d'Éva.
J'ai lu pendant une demi-heure. Éva ne s'en
est pas aperçue.

J'ai téléphoné à Jessica et je lui ai
demandé de venir me rejoindre au parc
plus tard, cet après-midi, pour poursuivre
l'entraînement de soccer. Nathalie ne peut
pas venir : elle est au beau milieu d'une
expérience cruciale.

— Hé, Abby, quoi de neuf? s'informe Éva.

Elle arbore ses habituels maillot et short de basket, et
elle dribble son ballon sur le trottoir devant sa jeune

sœur.

— Je me creuse la tête pour trouver une idée d'article de journal, soupire Abby. C'est un devoir de création littéraire.

Elle fixe sa page blanche depuis vingt minutes. Elle a la tête pleine de trucs et d'astuces pour améliorer son jeu de soccer, et d'histoires inspirantes d'athlètes partis de nulle part qui ont atteint des sommets de performance. Des images fugaces lui viennent d'incidents excitants survenus sur le terrain de soccer. Il n'y a plus de place pour quoi que ce soit d'autre dans sa tête.

Abby ne sait pas si Mme Élizabeth se montrerait aussi compréhensive que Mme Doris dans le cas où elle remettrait son article en retard. Peut-être écoperait-elle d'un échec!

Éva pivote sur elle-même et simule un lancer. Puis elle se retourne vers Abby.

— Toi qui passes ton temps à écrire, lui dit-elle, tu ne devrais pas avoir de problème à rédiger un article.

— Cette fois-ci, j'en ai, avoue Abby.

— Pourquoi ne ferais-tu pas un compte-rendu d'une de mes parties de basketball?

— Je ne connais pas suffisamment les règlements ni le nom des joueuses.

— Je te donnerais toute l'information nécessaire, offre Éva. Tu pourrais aussi le publier dans le journal de ton école.

— Notre école n'a pas de journal, dit Abby.

— Peut-être que tu devrais en fonder un, suggère Éva en s'essuyant le front du revers de la main.

— Peut-être... répond Abby.

C'est une bonne idée. Une fois la saison de soccer terminée, elle en parlera à Mme Élizabeth et elle demandera à Jessica et à Nathalie si le projet les intéresse. Sauf qu'elle n'a toujours pas trouvé le sujet de son article.

À moins que...

Elle ne peut pas décrire une partie de basketball d'Éva – il y aurait trop de choses à apprendre d'abord. Par contre, il y a un autre sport dont elle connaît à la fois les joueuses et les règlements. Elle a passé beaucoup de temps à en suivre l'action. En outre, elle a, dans ce sport, une expérience personnelle de première main. Qui, mieux qu'Abby, est qualifiée pour parler de l'équipe féminine de soccer de la cinquième année de l'école élémentaire Lancaster?

Le soccer l'obsède depuis des semaines, pas vrai? Eh bien, la voilà, son idée d'article! Un article qui la supplie pour ainsi dire de l'écrire! Et dire que l'idée ne lui est même jamais venue avant qu'Éva n'émette sa suggestion.

Elle bondit sur ses pieds, vole au bas de l'escalier et saute au cou de sa sœur.

— Merci Éva, tu es la meilleure.

Éva sourit. Elle est si habituée à recevoir ce compliment qu'elle ne demande même pas à Abby de s'expliquer là-dessus.

— Tu devrais laisser tes cheveux tomber plus souvent sur tes épaules, dit-elle en regardant la chevelure rousse frisottée de sa jeune sœur.

— Tu les aimes? demande Abby, qui n'en revient pas. Ils sont tellement roux! Et tellement ébouriffés et emmêlés!

— Tellement fantastiques! rectifie Éva. Tu les apprécierais si tu avais une tignasse brune et ennuyante comme la mienne! Tu n'étais qu'un bébé et je t'enviais déjà tes cheveux.

— C'est vrai?

— Si jamais tu t'en lasses, tu me les donneras! dit Éva.

Elle jette son ballon dans un bac sur la galerie et file dans la maison pour aller prendre une douche.

Bouche bée, Abby suit sa sœur des yeux. C'est bien Éva, n'est-ce pas? Ou est-ce une extraterrestre qui a pris l'apparence de sa sœur?

Wow! Ma super-grande-sœur Éva, l'athlète de la famille, m'a donné une idée pour mon article de journal ET elle adore mes cheveux!!!! Surprise abracadabrante. Ma super-grande-sœur peut se comporter d'une façon inattendue. Peut-être que je le peux, moi aussi. Demeurez à l'écoute pour suivre l'évolution de cette affaire.

Abby détache une page toute neuve de son cahier, et elle se met à pondre son article.

Chapitre 15

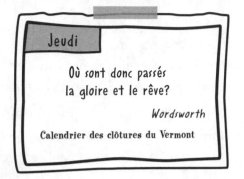

Jeudi

*Où sont donc passés
la gloire et le rêve?*

Wordsworth

Calendrier des clôtures du Vermont

Me voilà en vie, en santé et en pleine forme! C'est ma semaine chanceuse — et il y a un match, ce soir.

Les points forts de ma semaine chanceuse

1. J'ai terminé mon article de journal et je l'ai remis à temps!

Je n'ai donc pas eu à présenter d'excuses à Mme Élizabeth, ni à lui donner d'explications embarrassantes. Je ne voudrais pas qu'elle pense que la classe de création littéraire ne m'intéresse pas. Parce qu'en fait, c'est le cours que je préfère entre tous!

Mme Élizabeth a souri en voyant le titre, et elle a dit qu'elle avait très hâte de le lire.

2. J'ai eu 85 pour cent dans un test de maths contre la montre!!! (Comment est-ce que j'ai fait ça? Un coup de chance, c'est sûr!)

Mme Doris a écrit sur ma copie : « Continue à bien travailler! » et elle m'a donné un certificat-cadeau pour une pizza en récompense de mes efforts.

Zach a dit qu'il préférerait un jeu d'ordinateur.

— Si on donnait des jeux d'ordinateur en récompense, tu serais le meilleur élève de l'école, ai-je répondu.

Zach a approuvé. Puis il a ajouté :

— Mais personne ne serait meilleur que toi en écriture.

Je suis d'accord avec Brianna, pour une fois. Zach est mignon. (Quand il n'est pas accroché à une machine à jeu, car alors, il ressemble à un zombie électronique.)

3. Brianna est absente aujourd'hui!!! Selon ce que Béthanie nous a raconté, elle a vomi toute la nuit et elle est encore malade. Combien de fois a-t-elle dégueulé? Je pourrais peut-être calculer le taux de dégueulage de Brianna. Ça me changerait de son taux de fanfaronnades.

M. Steve nomme Jessica capitaine substitut pour le match de soccer de ce soir. C'est elle qui va nous attribuer nos positions. Hourra!

Béthanie pensait que ça lui revenait à elle d'être capitaine, en tant que meilleure amie et meilleur clone de Brianna. Alors, elle boude.

— Ce n'est pas un concours de sosies, lui ai-je dit. Presque la moitié des joueuses ont voté pour Jessica.

Personnellement, je suis très contente que Béthanie ne soit pas celle qui mènera notre équipe au supplice. Et ça semble faire plaisir à beaucoup d'autres joueuses aussi.

Il y aura pas mal de monde au match de ce soir. Mme Doris viendra, parce que nous affrontons l'école élémentaire Swiss Hill, où elle enseignait avant. Elle promet de nous encourager, nous, et pas son ancienne école.

La mère de Jessica quittera le travail plus tôt pour assister au match — et elle ne sait même pas que sa fille va être capitaine!

Nathalie est contente que ses parents ne viennent pas. Ils l'ont déjà menacée de l'inscrire à la crosse, à la balle-molle et au basketball.

— S'ils voient à quel point je suis mauvaise, dit-elle, ils sont bien capables de m'obliger à jouer aussi au volleyball et à faire du ski de randonnée.

L'asthme de Jessica est encore pire aujourd'hui, et

elle a dû aller au bureau de l'infirmière deux fois pour respirer dans son inhalateur.

Le match lui donne aussi le trac. Elle dit qu'elle s'en fait à cause de tous les spectateurs qui seront là. C'est rare que sa mère puisse se libérer pour assister aux parties où elle joue. Elle veut que sa mère la voie à son meilleur.

— On ne sait jamais ce qu'on peut faire tant qu'on n'a pas essayé, lui ai-je dit. On doit cultiver son jardin.

— Je ne sais pas ce que le jardin vient faire là-dedans, a-t-elle répondu, mais je suis contente que tu sois mon amie. Je vais essayer de m'amuser pendant la partie, et de ne pas trop me préoccuper de ce que tout le monde pense.

Je n'ai pas abandonné l'espoir de devenir une étoile de soccer. Signe d'insanité? Il n'y en a pas dans ma famille immédiate.

C'est ma semaine chanceuse. Tout peut arriver!

Sans aucun doute, l'attitude encourageante et positive de ma meilleure amie, qui est aussi capitaine substitut de l'équipe de soccer, fera de moi une meilleure joueuse.

Les filles de l'école Lancaster enfilent leurs protège-tibias et leurs chaussures à crampons, puis elles se mettent à frapper le ballon de part et d'autre du terrain en guise d'échauffement.

Arrive alors l'équipe de l'école Swiss Hill.

— O.K., on y va et on s'amuse! lance Jessica à tue-tête.

— Brianna ne dirait jamais « on s'amuse! », remarque Béthanie, maussade. Elle parlerait de victoire. Elle dirait : « On y va et à nous la victoire! »

— Même si on ne gagne pas, on peut toujours s'amuser, rétorque Jessica.

— Hourra pour l'école Lancaster! s'écrient les filles de l'équipe.

Elles courent sur le terrain pour prendre leurs positions.

Le ballon est en jeu. Jessica le passe à Béthanie. Béthanie le botte en direction de Rachel, qui file vers le but en dribblant, jusqu'à ce qu'une fille de l'équipe adverse vienne le lui voler.

Abby se lance à la poursuite de la joueuse de Swiss Hill. Elle arrive à sa hauteur et, d'un solide coup de pied, lui arrache le ballon avant de filer en direction opposée vers le filet.

— Abby! Abby! Abby! hurlent ses coéquipières.

C'est à peine si elle les entend tellement elle se concentre pour esquiver habilement la défensive adverse tout en conservant le contrôle du ballon. Elle court, elle court, et le terrain semble s'ouvrir au fur et à mesure qu'elle avance. Comme si une voie était tracée, la menant droit au but.

Portée par les encouragements que lui lance Mme Doris du haut des estrades et par les hurlements de son équipe déchaînée, Abby botte le ballon d'un féroce coup de pied. Le ballon frôle la gardienne de but et file au fond du filet.

— Un point pour l'école Lancaster! annonce l'arbitre.

Repoussant les cheveux humides qui lui collent au front, Abby regarde le ballon, impressionnée. Elle a réussi! Elle a vraiment compté un point pour son équipe.

Jessica lui saute au cou.

— Je savais bien que tu en étais capable!

Pendant qu'elle court reprendre sa position, ses coéquipières lèvent vers elle le pouce de la victoire.

Depuis la ligne médiane, une joueuse de Swiss Hill botte le ballon vers une coéquipière. Et c'est reparti!

Voilà le point tournant, songe Abby. Son grand moment est arrivé. Lorsque le ballon fend l'air pour se diriger vers elle, elle le frappe avec sa tête. Il bondit vers Rachel qui fait une passe à Jessica. Celle-ci garde le contrôle et court vers le but. Et c'est un deuxième point pour l'école Lancaster!

Béthanie en marque un autre, bientôt imitée par Meghan. À la fin de la période, l'école Lancaster a pris les devants.

— Je savais que ça arriverait, confie Abby à Jessica, qui acquiesce d'un hochement de tête.

Tous ses efforts ont fini par porter fruit. Les parties de soccer qu'elle a regardées à la télé, les puissantes potions santé qu'elle s'est obligée à boire, les livres qu'elle a lus, les adages inspirants et, surtout, les heures qu'elle a passées à s'entraîner, tout cela est en train de la mener à la célébrité.

Un jour, ses amis raconteront son histoire : comment elle a surmonté les incroyables obstacles qui la donnaient perdante au départ pour atteindre ses objectifs en soccer. Mais aujourd'hui, Abby se contente de savourer pleinement sa rapide ascension vers le sommet.

Elle aperçoit, dans les estrades, la mère de Jessica, qui porte encore ses vêtements de travail. Elle est venue directement de la bibliothèque musicale de l'université, où elle est employée.

Abby lui envoie un salut de la main que la mère de son amie lui renvoie. Abby regrette que sa propre famille ne soit pas là, dans les estrades, à agiter la main avec fierté. Deux jeux brillants en l'espace de quelques minutes!

Au coup de sifflet de M. Steve, les joueuses reviennent sur le terrain pour la deuxième période.

Une fois encore, Abby se précipite vers le ballon et fait une passe à Meghan.

— Continue, Abby! crie M. Steve. Ne lâche pas!

Le ballon est intercepté par une joueuse de Swiss Hill. Mais Béthanie le lui vole et l'envoie vers Abby.

— Au centre! Au centre! hurle Béthanie. À toi de jouer, Abby!

Se lançant dans une course effrénée vers le ballon, Abby s'apprête à exécuter un botté magistral qui cimentera sa réputation de joueuse de haut niveau. C'est alors qu'elle passe dans une flaque d'herbe vaseuse. Le ballon fend l'air en la frôlant. Abby glisse, perd l'équilibre et, les bras grands ouverts, tombe en pleine face dans la boue.

Ses coéquipières poussent des cris horrifiés. Les filles de Swiss Hill poussent des cris d'enthousiasme. L'une d'elles projette le ballon dans le but. L'arbitre y va d'un coup de sifflet et annonce :

— Un point pour Swiss Hill.

M. Steve accourt vers Abby et l'aide à se relever.

— C'est toute une chute que tu as fait là! dit-il. Rien de brisé?

— Je ne pense pas, répond-elle.

Elle est couverte de boue. Son gilet pendouille sur sa poitrine. Ses protège-tibias sont détrempés. Elle a les genoux égratignés et les mains endolories.

L'entraîneur examine ses bleus.

— Tu ferais peut-être mieux d'aller t'asseoir. On va te

nettoyer les mains et les genoux, et te mettre un sac de glace.

Elle se dirige en boitillant vers le banc, où deux joueuses substituts regardent la partie. M. Steve en envoie une dans la mêlée pour remplacer Abby.

— Est-ce que ça va? demande Nathalie. Tu as fait des jeux magnifiques il y a quelques minutes. Je t'ai applaudie!

— Ça va aller, dit Abby.

Malgré elle, ses yeux se remplissent de larmes. Le match était si bien parti! Et voilà qu'elle a les mains qui piquent, les genoux qui brûlent et un goût de boue dans la bouche.

Mme Doris descend les estrades et s'approche d'elle.

— Ton père et ton frère sont ici, Abby, lui dit-elle.

— Mon père et mon frère?

Abby se retourne et voit, juste derrière elle, Alex et son père. Ils sont venus assister à son match!

— Quand êtes-vous arrivés? balbutie-t-elle.

— Juste avant que tu tombes, répond son père. Est-ce que ça va? Tu parles d'une chute!

— Abby! s'écrie Alex. Tu ressembles à un monstre boueux!

Abby leur jette un regard horrifié. Elle veut dire quelque chose, mais les mots restent pris dans sa gorge.

— Ta mère veut te parler, dit son père en lui tendant

son téléphone cellulaire. Je lui ai dit que tu étais tombée...

— Maman... dit Abby. Oui, je vais bien.

Elle ne va surtout pas confier à sa mère qu'elle a essayé de se montrer digne de la famille Hayes et qu'elle a échoué. Sa mère aurait pitié d'elle et ça, ce serait pire que n'importe quel mépris. Elle redonne le téléphone à son père.

— Qu'est-ce qui ne va pas? demande celui-ci. Nous sommes fiers de toi, Abby.

Fiers? Du fait qu'elle soit tombée devant ses amis, son enseignante et sa famille? Abby n'en croit rien. Elle tourne les talons et s'élance en courant.

Indifférente à ses genoux couverts de bleus, à ses mains égratignées et aux larmes qui coulent sur ses joues, elle ne s'arrête qu'une fois rendue chez elle. Le temps de dénicher la clé dans sa cachette et de déverrouiller la porte, et la voilà qui file tout droit vers la salle de bains. Arrachant ses vêtements détrempés et boueux, elle saute dans la douche. Et, avant que personne d'autre ne soit de retour à la maison, elle est déjà dans sa chambre, bien enfouie sous ses couvertures.

D'où elle ne bougera plus du reste de la nuit.

Chapitre 16

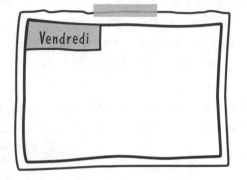

Rien. Pas le moindre mot ne me vient à l'esprit. Encore moins ces soi-disant adages inspirants. Ce sont eux, en fin de compte, qui m'ont mise dans ce pétrin...

Le soleil plonge ses rayons dans la chambre d'Abby. Comme elle le fait chaque matin, elle ouvre les yeux et aperçoit les calendriers suspendus aux murs. Il y a le Calendrier des chats du Rhode Island, dont le mois d'octobre met en vedette un matou tigré au poil orange. Elle jette un regard affectueux au Calendrier des patates, qui présente la photo d'une appétissante purée de pommes de terre. Puis son regard glisse vers le Calendrier de la Coupe du Monde de soccer...

Abby referme les yeux en grognant, tandis que les

images des événements d'hier affluent à sa mémoire.

Ses parents, ses sœurs jumelles et son petit frère sont venus à sa porte, hier soir. Ils ont essayé de lui parler, mais elle a refusé toute conversation. Elle est restée sous ses couvertures, les mains sur les oreilles et les yeux bien fermés.

Plus par habitude que pour toute autre raison, elle tend la main vers sa table de chevet et prend son journal.

Je ne me sens pas capable d'affronter ma famille après l'humiliation d'hier. Mon triomphe est passé inaperçu. Mais la terre entière (enfin... presque) m'a vue piquer du nez dans la boue dans un plongeon spectaculaire.

Je ne veux plus voir personne. Jamais plus.

Les options qui s'offrent à moi :

Passer le reste de ma vie au lit.

Me faire adopter par une famille qui habite une autre ville.

Me sauver et vivre dans les égouts.

Des larmes dessinent des rigoles le long de son nez tandis qu'elle s'imagine, vêtue d'un jean à pattes d'éléphant effiloché et d'un chandail usé et décoloré, en train de chasser les rats pour avoir de quoi souper.

Peut-être mes blessures sont-elles assez graves pour
que je doive passer un mois à l'hôpital pour en guérir.
Quand je sortirai, personne ne se souviendra de moi. »

Repoussant ses couvertures, Abby examine son genou :
il est rouge et éraflé, mais sans gale. Quant à ses mains,
elle n'ont pas l'ombre d'une égratignure.

Étendue sur le lit, elle essaie d'avoir l'air pâlotte et
maladive.

— J'ai mal au ventre, gémit-elle. Et à la tête! J'ai dû
m'empoisonner en avalant de la boue. Il faut appeler
l'ambulance.

Quelqu'un monte l'escalier en courant. Abby ferme les
yeux et reste dans son lit, malheureuse. La porte s'ouvre.

— Abby! Abby! Réveille-toi!

C'est Alex. Il la secoue doucement.

Elle ronfle un petit peu et se tourne sur le côté. Son
frère la secoue plus fort.

— Réveille-toi!

Si elle garde les yeux fermés, il finira bien par
abandonner. Il suffit de ne pas bouger jusqu'à ce qu'il
s'en aille.

Abby demeure donc parfaitement immobile. Elle
s'imagine qu'elle est morte. Alex est venu pleurer sur elle.

Pourquoi alors n'en finit-il pas de frapper le lit en
riant?

— Réveille-toi, Abby! dit Alex. Tu es célèbre!

Célèbre, oui! Mais pas pour les raisons qu'elle souhaiterait. Elle est la risée de l'école Lancaster, ainsi que de l'étonnante et impressionnante famille Hayes. La voix de ses parents flotte jusqu'à elle, en provenance du couloir. Les voilà dans sa chambre, eux aussi. Tant qu'à y être, pourquoi est-ce qu'ils n'apportent pas tous leur bol et leur assiette pour venir déjeuner sur son lit?

— Abby, *La Tribune* a publié ton article, lui annonce son père. Toute la famille est extrêmement fière de toi.

— Quel article?

Elle se redresse brusquement et arrache le journal de la main tendue de son père.

— Je savais bien qu'elle ne dormait pas! fait Alex, triomphant.

Abby examine la page, puis aperçoit la manchette : *Des coups de pied... et un coup de cœur? Les hauts et les bas du soccer*, par Abby H.

— C'est l'article que j'ai écrit pour le cours de création littéraire! s'écrie Abby. Je viens juste de le remettre. Comment ça se fait qu'il se retrouve dans le journal?

— Mme Élizabeth l'a tellement aimé qu'elle l'a fait lire à un de ses amis qui travaille à *La Tribune*. Elle a téléphoné hier soir pour nous dire qu'il allait être publié, explique sa mère.

— Te voilà journaliste, et publiée dans le journal à dix

ans, dit son père, qui rayonne de fierté.

— Hourra, Abby! se réjouit Alex avec enthousiasme. Bondissant sur le lit, il saute au cou de sa sœur. Ses parents l'embrassent. Puis sa mère jette un œil à sa montre.

— Oups! Il faut que je parte dans quinze minutes. Habille-toi, Abby, et descends déjeuner. Ton père va nous préparer des gaufres pour célébrer ton succès.

Abby s'assoit à table et regarde son article avec fierté. C'est bien son nom qui est imprimé là! *La Tribune* a écrit une présentation : *Nous avons le plaisir de présenter le point de vue original et réfléchi d'Abby H., une élève de cinquième année au cours de création littéraire de Mme Élizabeth Bunder, à l'école élémentaire Lancaster.*

— « Le point de vue original et réfléchi », dit Abby à haute voix. « Le point de vue original et réfléchi d'Abby H., une élève de cinquième année au cours de création littéraire ».

Elle mord dans une gaufre qu'elle a tartinée de confiture de fraises, puis elle continue à lire l'article.

Des coups de pied... et un coup de cœur?
Les hauts et les bas du soccer,
par Abby H.

Avez-vous déjà vu une équipe de filles de cinquième année courir d'un bout à l'autre d'un terrain de soccer à la poursuite d'un petit ballon blanc? Cette scène n'est pas inhabituelle à l'école élémentaire Lancaster, où l'équipe se rencontre une fois par semaine pour s'entraîner au soccer, et une seconde fois pour disputer un match contre une autre équipe. La capitaine, Brianna Bauer, pense que c'est important de gagner. M. Steve, l'entraîneur, développe l'esprit sportif des joueuses et les invite à faire de leur mieux.

Bon nombre de ces filles jouent au soccer depuis plusieurs années. Leurs idoles sont Mia Hamm, Michelle Akers et Briana Scurry. Elles regardent le tournoi de la Coupe du Monde à la télé et elles s'entraînent à contrôler le ballon de soccer, comme si c'était la chose la plus simple au monde. Quelques-unes des joueuses, cependant, sont de nouvelles venues dans ce sport. Lorsqu'elles aperçoivent un ballon qui fonce à toute vitesse en direction de leur tête, elles se penchent pour l'esquiver et partent à courir dans la direction opposée.

Existe-t-il une personnalité typique du soccer? Est-ce un talent inné qui se développe à force de travailler avec acharnement? Ou alors est-ce que n'importe qui peut y jouer? Voilà la question que je n'en finis pas de me poser, au fur et à mesure que je me transforme en joueuse de soccer. Je ne sais pas si j'y suis vraiment arrivée. J'ai peut-être besoin de m'entraîner encore plus longtemps, encore plus fort. Ou peut-être qu'il me faudrait plus d'aptitudes athlétiques naturelles. Je me pose des questions : vais-je réussir à bien jouer si je commence à aimer vraiment le soccer ou, au contraire, vais-je aimer ce sport seulement si je le pratique avec succès?

J'ai beaucoup de questions et peu de réponses. Mais il y a une chose que je sais : je serai sur le terrain de soccer, cette semaine, à faire de mon mieux.

Abby replie le journal et prend une autre bouchée de gaufre. Puis elle plonge la main dans son sac à dos pour en retirer son journal intime.

Aucun membre de la famille Hayes n'a fait la moindre allusion au désastreux match de soccer d'hier. Essaient-ils d'être polis et délicats, ou souffrent-ils tous d'amnésie?

J'imagine que mon secret est maintenant sorti au grand jour. Mes super-sœurs savent que je fais partie de l'équipe. Isabelle ne m'a pas fait de sermon sur la « barbarie des sports » et Éva ne m'a pas chanté sur tous les tons que j'ai besoin de m'améliorer. Est-ce que l'article a influencé leur manière habituelle de raisonner? Je l'espère bien!

Jessica vient de téléphoner. Elle dit que n'importe qui peut tomber, mais que peu de personnes peuvent marquer un point. C'est rare chez quelqu'un qui commence à peine à jouer. Elle m'a aussi confié qu'elle a aimé mon article. Elle m'invite à passer la nuit chez elle samedi, avec Nathalie. En général, sa mère ne lui permet pas d'inviter des copines à coucher, mais Jessica a eu recours à sa grande force de persuasion. Elle a expliqué à sa mère que Nathalie est nouvelle en ville et qu'elle n'a encore été invitée nulle part.

Nathalie a dit à ses parents que Jessica et moi sommes des joueuses de soccer, alors ses parents lui ont donné la permission de dormir chez Jessica.

Hourra! C'est demain soir!

Réflexions sur mes objectifs de soccer.

1. Je ne me suis pas donné assez de temps.

2. Les résultats sont plutôt satisfaisants, compte tenu du peu de temps que j'ai eu.

3. Je joue pas mal mieux qu'avant, même si je ne suis pas encore une grande joueuse ni une étoile!

4. J'ai travaillé fort et fait de mon mieux. Je devrais être fière de mes efforts, pas des résultats.

5. Un article que j'ai écrit a été publié dans « La Tribune ».

La saison de soccer n'est pas encore finie!

Conclusion : comme le dit le proverbe, après la pluie, le beau temps. Si je n'étais pas entrée dans l'équipe de soccer, je n'aurais pas écrit cet article ni été publiée dans le journal.

Je me demande si Mme Doris va afficher mon article au babillard pour que tout le monde le voie.

Mon père m'a dit que « La Tribune » allait m'envoyer quinze dollars pour mon article. Je ne le dépenserai pas pour de l'équipement de soccer. J'achèterai plutôt une calculatrice pour m'aider à résoudre mes problèmes de maths.